S0-CFL-972

勤学故事

中国儿童成长必读故事

ZHONG GUO ER TONG CHENG ZHANG BI DU GU SHI

北京日报报业集团
同心出版社

图书在版编目（CIP）数据

勤学故事 / 禹田编写. —北京：同心出版社，2015.5
（金苹果童书馆）
ISBN 978-7-5477-1482-9

Ⅰ. ①勤… Ⅱ. ①禹… Ⅲ. ①汉语拼音-儿童读物
Ⅳ. ①H125.4

中国版本图书馆 CIP 数据核字（2015）第 055719 号

勤学故事

金 苹 果 童 书 馆

编　　写：禹　田
策　　划：董　明
责任编辑：宛振文
助理编辑：张　迪
特约编辑：张　远　叶　静
绘　　画：周春雷　周阿敏　黄　薇等
美术编辑：刘　璐　沈秋阳
封面设计：大　娟　晓　珍
版式设计：沈秋阳
内文设计：王　辉　王彦洁

出　　版：同心出版社
地　　址：北京市东城区东单三条 8-16 号　东方广场东配楼四层
邮　　编：100005
发行电话：（010）88356856　88356858
印　　刷：北京睿特印刷厂大兴一分厂
经　　销：各地新华书店
版　　次：2015 年 5 月第 1 版　第 1 次印刷
开　　本：889 毫米×1194 毫米　1/24
印　　张：10 印张
字　　数：100 千字
定　　价：22.80 元

序　言
XU YAN

金苹果童书馆
为孩子打造快乐阅读的小书房

金苹果童书馆，秉承第一时间启迪孩子心智、让孩子在阅读中接触缤纷世界的理念，为3–7岁小读者精心甄选了这一年龄段不可不读的精彩内容。

金苹果童书编委会在充分研究和总结儿童心理与认知水平的基础上，汇总出不同类型、不同题材和不同体裁的优秀童书内容，作为送给孩子们的丰富、多元、健康的精神食粮。

这里有经典的中国古典启蒙读物，有流传全世界的美好童话，有开阔孩子认知视野的经典故事，也有帮助孩子更好成长的必读故事。一一筛选经典书目，本本必读；根据内容特色精心手绘的内页插图，画工精良；细致贴心的完美设计由内而外，书香四溢，尽心尽力为孩子营造捧在手中的阅读时光。

成长只有一次，给孩子一个爱上阅读的最好理由。

目 录

MU LU

目 录

MU LU

勤学故事

ZHONG GUO ER TONG CHENG ZHANG BI DU GU SHI
中 国 儿 童 成 长 必 读 故 事

爱抱怨的石磨

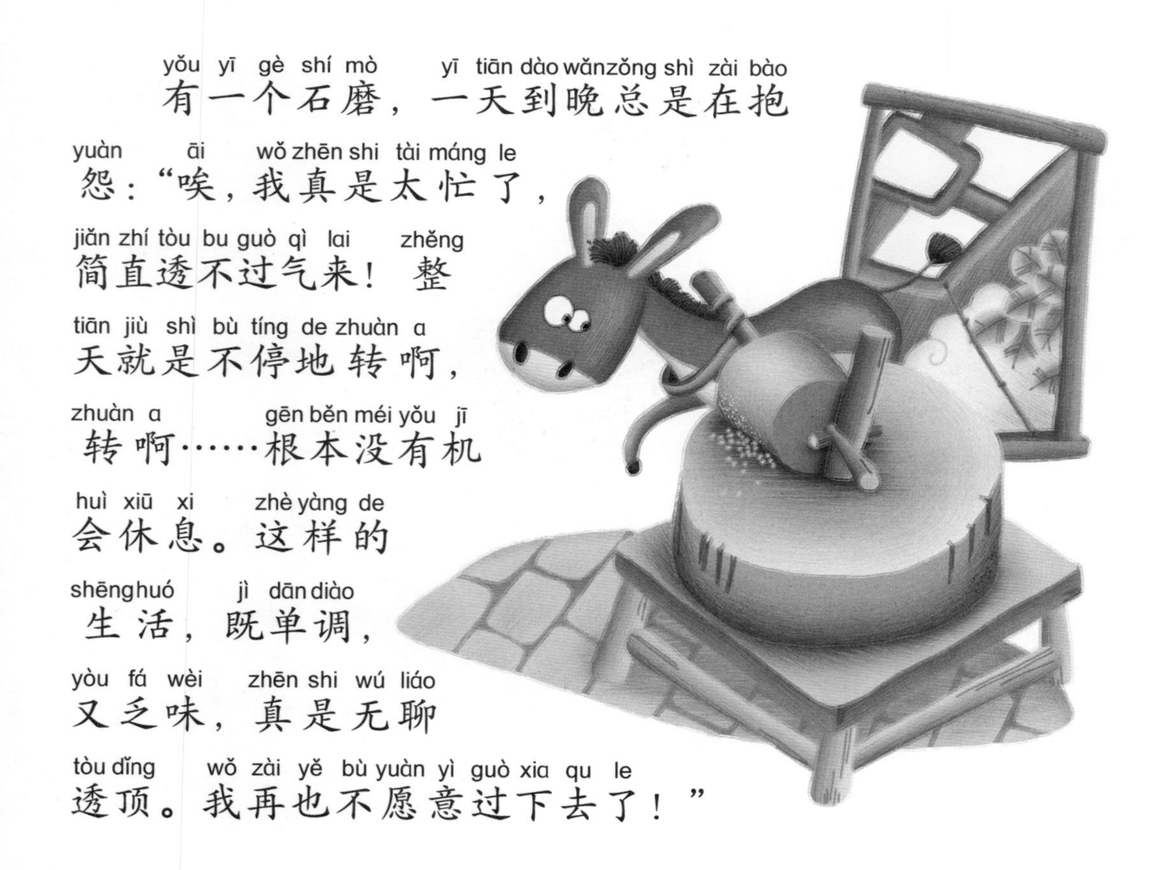

yǒu yī gè shí mò　yī tiān dào wǎn zǒng shì zài bào
有一个石磨，一天到晚总是在抱
yuàn　āi　wǒ zhēn shi tài máng le
怨："唉，我真是太忙了，
jiǎn zhí tòu bu guò qì lai　zhěng
简直透不过气来！整
tiān jiù shì bù tíng de zhuàn a
天就是不停地转啊，
zhuàn a　gēn běn méi yǒu jī
转啊……根本没有机
huì xiū xi　zhè yàng de
会休息。这样的
shēng huó　jì dān diào
生活，既单调，
yòu fá wèi　zhēn shi wú liáo
又乏味，真是无聊
tòu dǐng　wǒ zài yě bù yuàn yì guò xia qu le
透顶。我再也不愿意过下去了！"

shí mò juē zhe zuǐ　wú lùn kàn jiàn shén me　dōu hǎo xiàng zài shēng qì
石磨撅着嘴，无论看见什么，都好像在生气。

tuī mò de lǘ zi tīng jiàn le tā de bào yuàn　zǒu guo lai shuō　lǎo xiōng
推磨的驴子听见了它的抱怨，走过来说：“老兄，
nǐ zhǐ bu guò shì tì rén men gàn le yī diǎn diǎn huó er　jiù bào yuàn gè bù tíng
你只不过是替人们干了一点点活儿，就抱怨个不停，
hǎo yì si ma　lái　kāi shǐ gàn huó er le
好意思吗？来，开始干活儿了！”

shén me　nǐ zhè ge cuī mìng guǐ　shí mò rǎng qi lai　yòu lái bī
“什么？你这个催命鬼，”石磨嚷起来，“又来逼
wǒ gàn huó er　wǒ hái méi yǒu xiū xi gòu ne　nǐ yuàn yì gàn huó er　nǐ zì
我干活儿，我还没有休息够呢！你愿意干活儿，你自
jǐ gàn ba
己干吧！”

lǘ zi hǎo xiàng méi tīng jiàn shí mò de huà　tuī zhe tā zǒu qi lai
驴子好像没听见石磨的话，推着它走起来。

bié tuī　bié tuī　wǒ tóu dōu yūn le　shí mò dà hǎn
“别推！别推！我头都晕了！”石磨大喊。

lǘ zi shuō　yǒu shén me bàn fǎ ne　shéi ràng nǐ shì bù tuī bù dòng ne
驴子说：“有什么办法呢？谁让你是不推不动呢！”

勤学魔法棒

小朋友，你有没有抱怨过呢？今天要学习，明天也要学习，后天还要学习……烦死了！而且每天放学回家后，如果没有爸爸妈妈的催促，你是不是根本不想写作业呢？如果你是这样的话，宝贵的时间就在抱怨中浪费和流失了，而你却还在原地打转。学习一定要主动。

dēngpào ràng tā cè liáng yī xià dēngpào de róng jī ā pǔ dùn jiē guo dēng
灯泡，让他测量一下灯泡的容积。阿普顿接过灯

pào lì kè cè liáng le dēngpào gè fāngmiàn de shù jù bìng
泡，立刻测量了灯泡各方面的数据，并

jì lù zài yǎnsuàn zhǐ shang rán hòu kāi shǐ jì suàn
记录在演算纸上，然后开始计算。

bàn tiān guò qu le ā pǔ dùn réngmǎn tóu dà hàn
半天过去了，阿普顿仍满头大汗，

mái tóu zài yǎnsuàn zhǐ shang jì suàn ài dí shēng fā xiàn hòu tí xǐng tā shuō
埋头在演算纸上计算。爱迪生发现后，提醒他说：

rú guǒ bǎ dēngpào zhuāngmǎn shuǐ rán hòu bǎ shuǐ dào zài liáng bēi li huò xǔ
“如果把灯泡装满水，然后把水倒在量杯里，或许

jiù néng dé chu dēngpào de róng jī ba ā pǔ dùn tīng le hòu lèng le yī
就能得出灯泡的容积吧。”阿普顿听了后，愣了一

xià zuì hòuyòng ài dí shēng de fāng fǎ hěn xùn sù de cè chu le dēngpào de róng
下，最后用爱迪生的方法很迅速地测出了灯泡的容

jī cóng cǐ yǐ hòu tā duì ài dí shēng fēi chángzūn jìng
积。从此以后，他对爱迪生非常尊敬。

勤学魔法棒

不仅仅课本上和课堂上有值得我们学习的知识，生活实践中也有很多可以学习的东西。小朋友，课堂上和课本上的知识要学好，也要注意在实际生活中学习哦！

爱朗读的大文豪

é guó rén liè fū tuō ěr sī tài shì wèi
俄国人列夫·托尔斯泰是位

jù yǒu gāoshàng de rén gé yuān bó de zhī shi
具有高尚的人格、渊博的知识、

shēnhòu de yì shù xiū yǎng hé dú tè yǎn jiè de wén
深厚的艺术修养和独特眼界的文

xué jiā tā xiě de zhàn zhēng yǔ hé píng
学家。他写的《战争与和平》

ān nà kǎ liè ní nà fù huó děng xiǎo shuō
《安娜·卡列尼娜》《复活》等小说，

duì shì jiè chǎnshēng le shēnyuǎn de yǐngxiǎng tā néng qǔ dé rú cǐ dà de chéng
对世界产生了深远的影响。他能取得如此大的成

jiù yī gè zhòngyàoyuán yīn biàn shì tā xǐ huan dú shū ér qiě tā dú shū yǒu
就，一个重要原因便是他喜欢读书，而且他读书有

gè tè diǎn nà jiù shì xǐ huan dà shēnglǎng dú zì jǐ xǐ ài de wénxué zuò pǐn
个特点，那就是喜欢大声朗读自己喜爱的文学作品。

lì rú tā tè bié xǐ huan qì hē fū de jǐ piān duǎn piān xiǎo shuō biàn bǎ zhè xiē
例如他特别喜欢契诃夫的几篇短篇小说，便把这些

xiǎo shuō tiāo xuǎn chu lai fǎn fù lǎng dú bìng yīn cǐ gǎn dào qí lè wú qióng
小说挑选出来，反复朗读，并因此感到其乐无穷。

tā hé péng you zài yī qǐ de shí hou yě jīng cháng huì shēng qíng bìng mào de lǎng dú tā xǐ huan de wén xué zuò pǐn yǒu shí hou dú de hái huì gǎn dòng de liú xia yǎn lèi
他和朋友在一起的时候，也经常会声情并茂地朗读他喜欢的文学作品，有时候读得还会感动地流下眼泪。

yǒu yī cì zhù míng huà jiā liè bīn lái tuō ěr sī tài jiā zuò kè liǎng rén yú kuài de jiāo tán zhe liè bīn qǐng tuō ěr sī tài lǎng dú diǎn wén xué zuò pǐn tīng tuō ěr sī tài tiāo xuǎn le kù pǔ lín de kāi bù zǒu gěi liè bīn lǎng dú tuō ěr sī tài dú zhe dú zhe biàn liú xia le yǎn lèi dú wán hòu tā duì liè bīn shuō yì shù zuì
有一次，著名画家列宾来托尔斯泰家做客。两人愉快地交谈着。列宾请托尔斯泰朗读点文学作品听。托尔斯泰挑选了库普林的《开步走》给列宾朗读。托尔斯泰读着读着便流下了眼泪。读完后他对列宾说：“艺术最

zhòng yào de shì yào bǎ wò yī gè dù yī fú huà zuò zhōng rú guǒ yǒu yī
重要的是要把握一个度。一幅画作中，如果有一
bǐ xū jiǎ de xiàn tiáo nà me jiù huì pò huài zhěng fú huà miàn lián nà xiē
笔虚假的线条，那么就会破坏整幅画面，连那些
zhèng què de xiàn tiáo yě bèi pò huài le kù pǔ lín zuò pǐn de dú dào zhī chù zài
正确的线条也被破坏了。库普林作品的独到之处在
yú méi yǒu duō yú de xū jiǎ de dōng xi
于没有多余的虚假的东西。”

tuō ěr sī tài hái tè bié xǐ huan pǔ xī jīn de zuò pǐn yǒu yī cì tā
托尔斯泰还特别喜欢普希金的作品。有一次，他
yòng yī zhǒng bié rén wú fǎ mó fǎng de sǎng yīn lǎng dú pǔ xī jīn de hēi táo
用一种别人无法模仿的嗓音，朗读普希金的《黑桃
huáng hòu zhōng bó jué fū rén jiā de zhěng gè chǎng miàn hé tuō mǔ sī lái fǎng de
皇后》中伯爵夫人家的整个场面和托姆斯来访的
piàn duàn dú wán hòu tā zàn tàn dào yǒu jié zhì zhǔn què bù xiǎn shān
片段。读完后，他赞叹道：“有节制、准确、不显山
lù shuǐ de bǐ fǎ wú yī chù bài bǐ tài bàng le liǎo bu qǐ
露水的笔法，无一处败笔，太棒了，了不起！”

tā jiù shì zhè yàng tōng guò lǎng dú lái xīn shǎng pǐn wèi hé píng pàn wén xué
他就是这样通过朗读来欣赏、品味和评判文学
zuò pǐn ér zì jǐ yě zài zhè ge guò chéng zhōng yǒu le hěn dà de shōu huò
作品，而自己也在这个过程中有了很大的收获。

勤学魔法棒

著名作家曹文轩说：“能朗读的书一定是好书。”朗读可以净化民族语言，可以挑选优秀的作品，将优美的书面语转化成口语，提高口语质量。小朋友，不仿多多朗读，你会发现自己更爱读书了，说话水平也提高了。

爱思考的爱因斯坦

ài yīn sī tǎn shì zhù míng de wù lǐ xué
爱因斯坦是著名的物理学

jiā zài wù lǐ xué de xǔ duō lǐng yù
家，在物理学的许多领域

dōu yǒu zhòng dà gòng xiàn qí zhōng zuì zhòng
都有重大贡献，其中最重

yào de shì jiàn lì le xiá yì xiāng duì lùn hé
要的是建立了狭义相对论和

guǎng yì xiāng duì lùn
广义相对论。

ài yīn sī tǎn zài yòu nián shí qī fā yù bǐ jiào chí huǎn sān sì suì le
爱因斯坦在幼年时期发育比较迟缓，三四岁了

hái bù dà huì shuō huà bù guò tā de xiǎo nǎo dai zhōng què jīng cháng sī kǎo
还不大会说话。不过，他的小脑袋中却经常思考

zhe gè zhǒng xī qí gǔ guài de wèn tí lì rú wèi shén me yǔ huì cóng tiān
着各种稀奇古怪的问题，例如：为什么雨会从天

shàng diào xia lai wèi shén me yuè liang bù huì cóng tiān shàng diào xia lai
上掉下来？为什么月亮不会从天上掉下来？

在他四五岁时，爸爸送给他一个罗盘。他很喜欢这个玩具，立即爱不释手地摆弄起来。他用手指轻轻一拨罗盘的指针，那指针便微微地抖动起来，并慢慢地转动着。转动了几次之后，他发现：每当指针停下来时，涂着红色的一端总是指向北方，另一端总是指向南方。他小心翼翼地转动整个罗盘，想趁罗盘指针“不注意”的时候，偷偷地让它指向别的方向。但罗盘似乎发现了他的心思，指针红色的一端依然固执地指向北方。他又猛地转过身子，想打罗盘个措手不及，但等指针静止下来一看，红色的一端还是指向北方！

小爱因斯坦奇怪极了，喃喃地说：“它为什么总是指向南北，却从不指向东西呢？”

因为这个问题，小爱因斯坦不停地试着，痴痴

de sī kǎo zhe
地思考着，
nòng de zì jǐ zhěng tiān
弄得自己整天
chén mò bù yǔ ér qiě jīng shén huǎng hū bà
沉默不语，而且精神恍惚，爸
ba mā ma hái yǐ wéi tā shēng bìng le ne
爸妈妈还以为他生病了呢。

zhōng yú yǒu yī tiān tā zhǎo dào le yī
终于有一天，他找到了一
gè dá àn yī dìng shì yǒu shén me dōng xi zài
个答案：“一定是有什么东西在
zhǐ zhēn de zhōu wéi tuī zhe tā jiē xia lai
指针的周围推着它！”接下来，
tā yòu xiǎng zhǎo chu nà ge shén mì de dōng xi dàn tā zhǎo le hǎo jiǔ yě méi yǒu
他又想找出那个神秘的东西，但他找了好久也没有
zhǎo dào
找到。

jǐn guǎn rú cǐ zài duì luó pán de tàn suǒ zhōng tā de tóu nǎo zhōng
尽管如此，在对罗盘的探索中，他的头脑中
yǐ jīng yùn yù le yī kē huì zuò chu wěi dà fā xiàn de zhǒng zi
已经孕育了一颗会做出伟大发现的种子。

勤学魔法棒

学习离不开思考，脑子是越用越聪明的。所以，小朋友在学习中一定要多进行思考，千万不要以为自己很聪明就不屑于思考，对待任何问题都要认真，这样可以使你的思维更加灵活和缜密。

背童谣，记拼音

xiǎo ruò mèng zài yòu ér yuán dà bān xià xué qī shí mā ma rèn wéi yīng gāi
小若梦在幼儿园大班下学期时，妈妈认为应该
wèi tā shàng xiǎo xué zuò xiē zhǔn bèi suǒ yǐ jiāo le tā yī xiē jiǎn dān de zhī shi
为她上小学做些准备，所以教了她一些简单的知识，
qí zhōng jiù bāo kuò hàn yǔ pīn yīn
其中就包括汉语拼音。

wèi le ràng xiǎo ruò mèng jì zhù nà xǔ duō hàn yǔ pīn yīn
为了让小若梦记住那许多汉语拼音，
mā ma zhuān mén mǎi le yī zhāng guà tú
妈妈专门买了一张挂图，
zhǐ zhe shàng miàn de pīn yīn yī gè yī
指着上面的拼音，一个一
gè de jiāo xiǎo ruò mèng dú rán hòu zài
个地教小若梦读，然后再
ràng tā xiě jǐ biàn xiǎo ruò mèng xué de
让她写几遍。小若梦学得
hěn xīn kǔ dàn shì nà yī gè gè pīn
很辛苦，但是那一个个拼

爱迪生的助手

dà fā míng jiā ài dí shēng céng jīng gù yòng le yī gè míng jiào ā pǔ dùn de
大发明家爱迪生曾经雇用了一个名叫阿普顿的

rén zuò zhù shǒu ā pǔ dùn shì měi guó pǔ lín sī dùn dà xué bì yè de gāo cái shēng
人做助手。阿普顿是美国普林斯顿大学毕业的高材生，

ér ài dí shēng jī hū méi yǒu shàng guo xué yīn cǐ ā pǔ dùn zài ài dí shēng
而爱迪生几乎没有上过学，因此阿普顿在爱迪生

miàn qián xiǎn de fēi cháng ào màn
面前显得非常傲慢。

yǒu yī cì
有一次，

ài dí shēng jiāo gěi
爱迪生交给

ā pǔ dùn yī gè
阿普顿一个

méi fēng kǒu de
没封口的

yīn jiù hǎo xiàng yǔ tā zuò duì yī yàng tā jì zhù
音就好像与她作对一样，她记住

le hòu miàn de jiù wàng le qián miàn
了后面的，就忘了前面

de jì zhù le qián miàn de yòu wàng le hòu miàn de
的，记住了前面的，又忘了后面的，

ér qiě jīng cháng huì nòng hùn yī xiē pīn yīn lì rú
而且经常会弄混一些拼音，例如：b

hé hé děng wèi cǐ mā ma jīng cháng zháo jí
和 d、p 和 q 等。为此，妈妈经常着急。

yǒu yī tiān xiǎo ruò mèng cóng yòu ér yuán huí jiā hòu tū rán duì mā ma
有一天，小若梦从幼儿园回家后，突然对妈妈

shuō mā ma wǒ men yòu ér yuán jīn tiān yě xué pīn yīn le lǎo shī kě
说：“妈妈，我们幼儿园今天也学拼音了，老师可

bǐ nǐ jiāo de hǎo duō le wǒ xué huì le hěn duō pīn yīn wǒ xiāng xìn guò
比你教得好多了，我学会了很多拼音。我相信，过

bu liǎo jǐ tiān wǒ yī dìng huì quán dōu jì zhù de
不了几天，我一定会全都记住的！”

lǎo shī bǐ wǒ jiāo de hǎo mā ma qí guài de shuō ruò mèng
“老师比我教得好？”妈妈奇怪地说，“若梦，

nǐ men lǎo shī shì zěn me jiāo de nán dào lǎo shī yǒu shén me miào zhāo
你们老师是怎么教的，难道老师有什么妙招？”

lǎo shī bǎ pīn yīn biān chéng le yī shǒu gē yáo wǒ men dōu hěn xǐ huan
“老师把拼音编成了一首歌谣，我们都很喜欢

niàn yī biān niàn yī biān jiù jì zhù nà xiē pīn yīn le
念，一边念，一边就记住那些拼音了。”

nà shǒu gē yáo shì zěn yàng de nǐ shuō yi xià ràng wǒ yě tīng ting
“那首歌谣是怎样的？你说一下，让我也听听。”

mā ma shuō
妈妈说。

xiǎo ruò mèng lì jí nǎi shēng nǎi qì de bèi qi lai
小若梦立即奶声奶气地背起来：

yuán yuán liǎn dàn yáng jiǎo biàn zhāng dà zuǐ ba
“圆圆脸蛋羊角辫，张大嘴巴 aaa；

dà gōng jī ō ō jiào lǒng yuán zuǐ ba
大公鸡，哦哦叫，拢圆嘴巴 ooo；

shuǐ zhōng yóu lai yī zhī é shuǐ zhōng dào yǐng
水中游来一只鹅，水中倒影 eee；

piào liang xiǎo dài mào mao liě kai xiǎo zuǐ
漂亮小 i 戴帽帽，咧开小嘴 iii；

shù shang yǒu gè wū yā wō qiào qi xiǎo zuǐ
树上有个乌鸦窝，翘起小嘴 uuu；

xiǎo yú tǔ gè xiǎo pào pao chuī qi dí zi
小鱼吐个小泡泡，吹起笛子 üüü；

yòu xià bàn yuán yòu shàng bàn yuán zuǒ xià bàn yuán
右下半圆 bbb，右上半圆 ppp，左下半圆 ddd，

zuǒ shàng bàn yuán
左上半圆 qqq；

……”

勤学魔法棒

拼音就像是一个个抽象的符号，非常难记，但编进歌谣之后，就变得既形象又有趣，好记多了。其实，不止是拼音，其他一些难记的东西如果也能编进歌谣，也会变得容易起来，小朋友可以尝试一下。

笨鸟和聪明鸟

cóngqián zài yī gè měi lì de shù lín li niǎo mā ma fū chu le liǎng
从前，在一个美丽的树林里，鸟妈妈孵出了两
zhī xiǎo niǎo yī zhī hěn cōngmíng sǎng yīn qīng cuì chàng gē hěn hǎo tīng lìng
只小鸟，一只很聪明，嗓音清脆，唱歌很好听；另
yī zhī què hěn bèn sǎng yīn yǒu xiē shā yǎ chàng gē bù hǎo tīng cōngmíngniǎo
一只却很笨，嗓音有些沙哑，唱歌不好听。聪明鸟
qiáo bu qǐ bèn niǎo jīngchángcháoxiào tā
瞧不起笨鸟，经常嘲笑它。

yǒu yī cì bèn niǎo zài shù lín li chàng gē cōngmíngniǎo tīng
有一次，笨鸟在树林里唱歌。聪明鸟听
jiàn le cháoxiào dào nán tīng sǐ le gē chàng de
见了，嘲笑道：“难听死了！歌唱得
zhè me nán tīng jiù bù yào chū lai diū rén le
这么难听，就不要出来丢人了！”

wǒ xiàn zài chàng gē shì bù hǎo tīng
“我现在唱歌是不好听，”
bèn niǎo shuō suǒ yǐ wǒ cái yào duō liàn xí ya
笨鸟说，“所以我才要多练习呀。

zhǐ yào wǒ duō jiā liàn xí jiāng lái yī dìng yě huì chàng de hěn hǎo tīng de shuō
只要我多加练习，将来一定也会唱得很好听的，说

bu dìng bǐ nǐ chàng de hái yào hǎo tīng ne
不定比你唱得还要好听呢！”

cōng míng niǎo shēng qì le shuō dào bié zuò mèng
聪明鸟生气了，说道：“别做梦

le xiàng wǒ zhè zhǒng tiān cái nǐ shì yǒng yuǎn yě bù huì chāo
了，像我这种天才，你是永远也不会超

guò de bù xìn de huà wǒ men jiù dǎ gè dǔ bàn nián
过的。不信的话，我们就打个赌，半年

zhī hòu ràng dà jiā tīng ting shéi chàng de gē zuì hǎo tīng
之后，让大家听听谁唱的歌最好听！”

bèn niǎo tóng yì le cóng cǐ zhī hòu tā
笨鸟同意了。从此之后，它

měi tiān dōu zǎo zǎo qǐ lai liàn xí chàng gē jiù lián
每天都早早起来练习唱歌，就连

zài mì shí de guò chéng zhōng yě bù wàng liàn gē
在觅食的过程中也不忘练歌，

tā de gē yuè chàng yuè hǎo tīng ér cōng míng niǎo
它的歌越唱越好听。而聪明鸟

ne tā rèn wéi zhěng gè shù lín zhōng méi yǒu
呢，它认为整个树林中，没有

nǎ zhī xiǎo niǎo néng bǐ tā chàng de gèng hǎo tīng zì jǐ gēn běn jiù bù xū yào
哪只小鸟能比它唱得更好听，自己根本就不需要
liàn xí suǒ yǐ měi tiān dōu zài wài miàn wán shuǎ jī hū méi liàn guo gē
练习，所以每天都在外面玩耍，几乎没练过歌。

bǐ sài de rì zi zhōng yú dào le shù lín zhōng jù jí le hěn duō xiǎo
比赛的日子终于到了，树林中聚集了很多小
niǎo hái yǒu huà méi bǎi líng děng jǐ wèi zī shēn de gē chàng jiā dān dāng píng
鸟，还有画眉、百灵等几位资深的歌唱家担当评
wěi shǒu xiān chū chǎng de shì bèn niǎo tā gāng liàng qi gē hóu jiù ràng suǒ
委。首先出场的是笨鸟，它刚亮起歌喉，就让所
yǒu de niǎo ér dōu dà chī yī jīng yīn wèi tā chàng de shí zài shì tài dòng tīng
有的鸟儿都大吃一惊，因为它唱得实在是太动听、
tài yōu měi le tā de gē shēng dǎ dòng le suǒ yǒu de niǎo ér
太优美了！它的歌声打动了所有的鸟儿。

lún dào cōng míng niǎo le tā gāng chàng le jǐ jù niǎo ér men jiù dōu
轮到聪明鸟了。它刚唱了几句，鸟儿们就都
yáo qi le tóu yīn wèi zuì jìn cōng míng niǎo wán de tài lèi le dǎo zhì hóu lóng
摇起了头。因为最近聪明鸟玩得太累了，导致喉咙
shā yǎ gē chàng de kě nán tīng le jiù zhè yàng zì yǐ wéi liǎo bu qǐ de
沙哑，歌唱得可难听了。就这样，自以为了不起的
cōng míng niǎo bài gěi le nà zhī kǔ liàn gē jì de bèn niǎo
聪明鸟败给了那只苦练歌技的笨鸟。

勤学魔法棒

看来，一个人能不能把一件事情做好，并不决定于他是否聪明。只要勤奋刻苦，就可能弥补先天条件的不足，把事情做好。一个人如果不努力学习，即使是天才，也一定会沦为平庸之辈。

不一样的玩具熊

yī tiān zhū lì hé yuē hàn jiě dì liǎ zài lù biān xián guàng biān zǒu biān
一天，朱莉和约翰姐弟俩在路边闲逛，边走边
kàn lù biān hǎo wán de shì qing
看路边好玩的事情。

zǒu dào jiē jiǎo pèng dào lù biān yǒu yī wèi lǎo fù rén zhèng zài mài wán jù
走到街角，碰到路边有一位老妇人正在卖玩具
xióng zhū lì hěn xǐ huan yī bǎ zhuā qi wán jù xióng jiù ài bù shì shǒu le
熊，朱莉很喜欢，一把抓起玩具熊，就爱不释手了。

lǎo fù rén shuō zhè liǎng zhī wán jù xióng shì zǔ chuán de bǎo bèi yīn
老妇人说：“这两只玩具熊是祖传的宝贝，因
wèi jiā li yǐ qióng de jiē bu kāi guō le bù dé yǐ cái yào mài tā
为家里已穷得揭不开锅了，不得已才要卖它。”

zhū lì jiàn yī zhī wán jù xióng de yǎn jing tè bié dà kàn shang qu shén cǎi
朱莉见一只玩具熊的眼睛特别大，看上去神采
yì yì de shí fēn xǐ huan shuō yuē hàn nǐ kàn tā shì bu shì hěn piào
奕奕的，十分喜欢，说：“约翰，你看它是不是很漂
liang ne hē hē xiàng gè gōng zhǔ yī yàng ne nǎ xiàng lìng yī gè hún shēn
亮呢？呵呵，像个公主一样呢！哪像另一个，浑身

hēi hēi de zhēn de shì hēi gǒuxióng le shuōzhe jiù xiǎng
黑黑的，真的是黑狗熊了！”说着，就想

yào mǎi xia zhè zhī gān jìng de wán jù xióng
要买下这只干净的玩具熊。

yuē hàn ná guo wán jù xióng kàn le yī xià tū rán tā fā
约翰拿过玩具熊，看了一下。突然，他发

xiàn zhè zhī xióng de yǎn jing sì hū tè bié liàng hǎoxiàng shì yòng bǎo shí zuò
现这只熊的眼睛似乎特别亮，好像是用宝石做

chéng de tā wèi zì jǐ de fā xiàn xīn xǐ ruò kuáng dàn biǎomiànshang bù
成的。他为自己的发现欣喜若狂，但表面上不

dòngshēng sè
动声色。

yuē hàn yòu ná qi lìng yī zhī wán jù xióng fā xiànxióng de shēn zi hěnzhòng
约翰又拿起另一只玩具熊，发现熊的身子很重，

sì hū shì yòng tiě zuò de ér qiě kàn shang qu hǎoxiàng bèi mái
似乎是用铁做的，而且看上去好像被埋

cáng le hěn jiǔ
藏了很久。

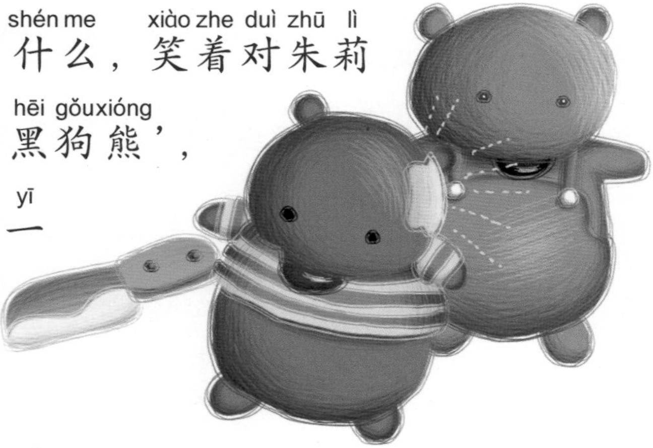

yuē hàn sì hū kàn chu le shén me xiào zhe duì zhū lì
约翰似乎看出了什么，笑着对朱莉
shuō nà wǒ mǎi xia zhè zhī hēi gǒuxióng
说：“那我买下这只‘黑狗熊’，
hé nǐ de gōngzhǔ xiǎoxióng yī
和你的‘公主小熊’一
qǐ wán er
起玩儿。”

yú shì zhū lì hé
于是，朱莉和
yuē hàn fēn bié fù qiánjiāngwán jù xióngmǎi le xià lái
约翰分别付钱将玩具熊买了下来。

huí jiā hòu zhū lì cháoxiào yuē hàn shuōdào nǐ mǎi zhè me chǒu de
回家后，朱莉嘲笑约翰，说道：“你买这么丑的
wán jù xióng zhēn shi méi yǎnguāng
玩具熊，真是没眼光。”

yuē hànbìng bù zài yì fǎn ér yòngxiǎo dāo zài wán jù xióng de shēnshang guā
约翰并不在意，反而用小刀在玩具熊的身上刮
lai guā qu hēi qī tuō luò hòu wán jù xióng jū rán lù chu càn càn de jīn huáng
来刮去。黑漆脱落后，玩具熊居然露出灿灿的金黄
sè yuē hànxīng fèn bù yǐ de dà hǎn dào guǒ rán bù chū wǒ suǒ liào zhè
色。约翰兴奋不已地大喊道：“果然不出我所料，这
ge wán jù xióng shì chún jīn de a
个玩具熊是纯金的啊！”

zhū lì jí máng shēn guò tóu lai kàn qiè xǐ de shuō wǒ de yě kěn
朱莉急忙伸过头来看，窃喜地说：“我的也肯
dìng shì shēnshǒu jiù yào ná xiǎo dāo guā zì jǐ de xióng
定是。”伸手就要拿小刀刮自己的熊。

yuē hàn máng lán zhù zhū lì shuō bié guā nǐ de xióng bù shì huáng jīn zuò de dàn yǎn jing shì yòng bǎo shí zuò de

约翰忙拦住朱莉，说：“别刮，你的熊不是黄金做的，但眼睛是用宝石做的。”

zhū lì hào qí de wèn yuē hàn nǐ zěn me zhī dào zhè zhī wán jù xióng shì jīn zi zuò de

朱莉好奇地问：“约翰，你怎么知道这只玩具熊是金子做的？”

yuē hàn xiào le xiào shuō nǐ xiǎng a yī zhī xióng de yǎn jing shì yòng bǎo shí lái zuò de ér lìng yī zhī xióng shí fēn chén zhòng kàn qi lai yòu chǔn yòu bèn yī dìng shì dāng nián tā de zhǔ rén pà tā bèi tōu zǒu zuò de wěi zhuāng

约翰笑了笑，说：“你想啊，一只熊的眼睛是用宝石来做的，而另一只熊十分沉重，看起来又蠢又笨，一定是当年它的主人怕它被偷走，做的伪装。”

zhū lì tīng le yuē hàn de huà hěn pèi fú tā de guān chá lì

朱莉听了约翰的话，很佩服他的观察力。

勤学魔法棒

善于观察和分析的人，到处都能找到宝藏。约翰是一个聪明的孩子，他不仅善于观察，而且更能仔细地分析事情的表面现象和内在的联系。小朋友，你也要养成爱观察的习惯啊，这可是学习过程中的一大好习惯。

“不听话”的鲁班

jù shuō lǔ bān suī rán chū shēn yú yī gè gōng jiàng jiā tíng dàn tā de
据说，鲁班虽然出身于一个工匠家庭，但他的
fù qīn què bù zàn chéng tā zǒu zì jǐ de lǎo lù lǔ bān cóng xiǎo cōng huì guò
父亲却不赞成他走自己的老路。鲁班从小聪慧过
rén shí zì hěn kuài qiě guò mù bù wàng dàn tā gèng gǎn xìng qù de què shì
人，识字很快，且过目不忘，但他更感兴趣的却是
fù qīn de nà xiē mù jiàng gōng jù tā wǎng wǎng gāng xué wán jǐ gè zì jiù
父亲的那些木匠工具。他往往刚学完几个字，就
zuān dào gōng jù duī li bǎi nòng qu le rán hòu hái ráo yǒu
钻到工具堆里摆弄去了，然后还饶有
xìng zhì de gào su mǔ qīn zì jǐ duì gōng jù de gǎi jìn
兴致地告诉母亲自己对工具的改进
yì jiàn fù qīn zhī dào hòu fēi cháng shēng
意见。父亲知道后非常生
qì rèn wéi zhè hái zi méi shén
气，认为这孩子没什
me chū xi mǔ qīn què cháng gǔ
么出息。母亲却常鼓

lì tā zuò zì jǐ xǐ huan de shì méi guò duō jiǔ lǔ bān jiù kě yǐ shú liàn
励他做自己喜欢的事。没过多久，鲁班就可以熟练

shǐ yòng nà xiē mù jiàng gōng jù yǎn rán yī gè zhēnzhèng de mù jiàng le
使用那些木匠工具，俨然一个真正的木匠了。

lǔ bān zài xué táng dú shū de shí hou zǒng shì bǎ fù qīn yòng guo de jǐ
鲁班在学堂读书的时候，总是把父亲用过的几

jiàn jiù gōng jù tōu tōu dài dào xué táng yī xià kè jiù zhǎo lai jǐ kuài xiǎo mù kuài
件旧工具偷偷带到学堂，一下课就找来几块小木块，

àn zhào zì jǐ de shè xiǎng zuò qǐ mù jiàng huó er lai shèn zhì shàng kè de shí
按照自己的设想，做起木匠活儿来。甚至上课的时

hou tā yǒu shí yě huì zài xià miàn tōu tōu bǎi nòng mù bǎn lǎo shī fā xiàn hòu
候，他有时也会在下面偷偷摆弄木板。老师发现后

hěn shēng qì dàn kàn dào xiǎo lǔ bān zì jǐ zhì zuò
很生气，但看到小鲁班自己制作

de jǐ gè jīng qiǎo xì zhì de wán jù shí yòu bù
的几个精巧细致的玩具时，又不

rěn xīn duō jiā zé bèi le
忍心多加责备了。

jīng guò yī duàn shí jiān de guān chá lǎo shī
经过一段时间的观察，老师

fā xiàn lǔ bān duì zuò mù jiàng
发现鲁班对做木匠

yǒu zhe fēi cháng nóng hòu de xìng
有着非常浓厚的兴

qù biàn duì lǔ bān de fù
趣，便对鲁班的父

qīn shuō kàn lai lǔ bān bìng
亲说：“看来鲁班并

不适宜读书，而更适合学木工，你还是不要勉强他了，让他跟你学习吧！”老师拿出鲁班做的几件小玩具，说道：“这是他偷偷做的，你看，多精致！说不定将来，这孩子在这方面会干出一番事业的。”

父亲一看儿子做的玩具，果然非常精巧，有些设计就连自己也想不出来。于是他听从了老师的建议，让鲁班跟着自己学习木工。

不到半年的时间，鲁班就把父亲毕生的手艺全学会了。后来，鲁班又向其他手艺高强的师傅拜师学艺，终于成了一代大师。

勤学魔法棒

兴趣，调动了鲁班最大的学习积极性，即便父亲一再责备，他也要抓紧机会学习木工，最终成长为一代大师。小朋友，如果你想学好什么功课，那么最好的办法就是先培养对这门功课的兴趣。兴趣也一定要用在好的事情上。

差距在哪里

wáng hào tóng yǔ liú tíng shì lín jū cóng xiǎo jiù zài yī kuài er wán shàng
王浩彤与刘婷是邻居，从小就在一块儿玩，上
xué hòu liǎng rén yě zài tóng yī gè bān li qǐ chū yīn wèi kè chéng bǐ jiào jiǎn
学后两人也在同一个班里。起初，因为课程比较简
dān liǎng rén biǎo xiàn de dōu bù cuò dàn guò le yī duàn shí jiān liǎng rén dōu
单，两人表现得都不错。但过了一段时间，两人都
yù mèn qi lai yīn wèi shàng kè shí tóng xué men dōu qiǎng
郁闷起来，因为上课时同学们都抢
zhe huí dá lǎo shī de tí wèn tā liǎ què jī hū huí
着回答老师的提问，她俩却几乎回
dá bu chū yī gè wèn tí měi dāng lǎo shī tí shì
答不出一个问题。每当老师提示
dá àn zài shū shang nǎ yī yè shén me dì fang
答案在书上哪一页、什么地方
shí liǎng rén dōu yào máng luàn hǎo cháng
时，两人都要忙乱好长
shí jiān cái néng zhǎo dào
时间才能找到。

yòu guò le yī duàn shí jiān liú tíng jiàn jiàn zài kè táng shang huó yuè qi lai
又过了一段时间，刘婷渐渐在课堂上活跃起来，
yě jī jí jǔ shǒu fā yán le hǎo duō cì shòu dào le lǎo shī de biǎo yáng wáng
也积极举手发言了，好多次受到了老师的表扬。王
hào tóng hěn nà mèn liú tíng zěn me tū rán biàn de hǎo le qǐ lái nán dào shì
浩彤很纳闷：“刘婷怎么突然变得好了起来？难道是
tā bǐ wǒ cōngmíng
她比我聪明？”

yī tiān wǎnshang wáng hào tóng zuò wán zuò yè hòu jiù qù le liú tíng jiā
一天晚上，王浩彤做完作业后，就去了刘婷家，
fā xiàn liú tíng hái zài xué xí biàn wèn nǐ de zuò yè hái méi zuò wán ma
发现刘婷还在学习，便问：“你的作业还没做完吗？”

zǎo jiù zuò wán le wǒ zhè shì zài yù xí míng tiān yào shàng de nèi róng
“早就做完了，我这是在预习明天要上的内容。”
liú tíng shuō
刘婷说。

fǎn zhèng míng tiān lǎo shī huì jiǎng de gàn má bái fèi gōng fu
“反正明天老师会讲的，干吗白费工夫？”

nǐ kě bié xiǎoqiáo le yù xí duì le yǒu jiàn shì wǒ yī zhí xiǎng gào
“你可别小瞧了预习！对了，有件事我一直想告
su nǐ jì de ma wǒ yǐ qián shàng kè shí gēn nǐ chà bu duō zǒng shì
诉你……记得吗？我以前上课时跟你差不多，总是
bù néng huí dá lǎo shī de tí wèn dàn xiàn zài wǒ néng huí dá nà xiē wèn tí le
不能回答老师的提问，但现在我能回答那些问题了，
nǐ zhī dào
你知道……”

wǒ jiù shì lái wèn nǐ zhè jiàn shì de kuài diǎn gào su wǒ wáng
“我就是来问你这件事的，快点告诉我！”王

hào tóng zháo jí de shuō
浩彤着急地说。

zhè qí zhōng de chā jù jiù zài yú yù xí yǐ qián wǒ yīn wèi shàng
“这其中的差距就在于预习！以前，我因为上

kè bù néng huí dá lǎo shī de tí wèn ér fēi cháng zháo jí hòu lái mā ma
课不能回答老师的提问而非常着急。后来，妈妈

zhuān mén qù wèn le yī wèi zhèng zài shàng gāo sān de jiān zi shēng tā gào su wǒ
专门去问了一位正在上高三的尖子生。他告诉我：

zhè shì yīn wèi wǒ de yù xí méi zuò hǎo bīng shū shang shuō zhī jǐ zhī bǐ
这是因为我的预习没做好。兵书上说‘知己知彼，

bǎi zhàn bù dài shàng kè tīng jiǎng yě yīng xiàng dǎ zhàng yī yàng zhǐ yǒu duì kè
百战不殆’，上课听讲也应像打仗一样，只有对课

shang yào xué de dōng xi zuò dào xīn zhōng yǒu shù cái néng qǔ dé xué xí de zhǔ
上要学的东西做到心中有数，才能取得学习的主

dòng quán ér jìn xíng kè qián yù xí cái néng zuò dào zhè yī diǎn
动权。而进行课前预习，才能做到这一点。”

ò yuán lái shì zhè yàng wáng hào tóng ruò yǒu suǒ sī de shuō nà
“哦，原来是这样，”王浩彤若有所思地说，“那

wǒ yě shì shi wǒ men yī qǐ yù xí ba
我也试试，我们一起预习吧。”

yú shì liǎng rén yī qǐ kāi shǐ yù xí míng tiān yào shàng de xīn kè yù
于是，两人一起开始预习明天要上的新课，遇

dào bù dǒng de dì fang liǎng rén hái tǎo lùn le yī fān
到不懂的地方，两人还讨论了一番。

dì èr tiān shàng kè shí lǎo shī jīng qí de fā xiàn yuán lái hěn shǎo fā
第二天上课时，老师惊奇地发现，原来很少发

yán de wáng hào tóng jū rán qiǎng zhe huí dá wèn tí ér qiě huí dá de hái hěn zhèng
言的王浩彤居然抢着回答问题，而且回答得还很正

què wáng hào tóng yě fēi cháng gāo xìng shàng kè de jī jí xìng gèng gāo le
确。王浩彤也非常高兴，上课的积极性更高了。

勤学魔法棒

小朋友，课前预习可不是像王浩彤说的那样是“白费工夫”，它可以为上课做好知识上的准备，从而提高上课效率。如果没有做好知识上的准备，那就很可能在上课时听“天书”了。

聪明的犹太人

在美国的华尔街，一位犹太老人提着一个豪华的公文包，走进了一家大银行。他来到贷款部前，坐了下来。

“先生，请问你有什么事需要我们效劳？”贷款部的经理忙走过来，一边小心地询问，一边暗暗打量着老人：名贵的西服，昂贵的手表，高档的皮鞋，领带夹子上还镶着宝石……

“我想借点钱。”老人说。

méi wèn tí nín xiǎng jiè duō shao jīng lǐ yīn qín de xún wèn
“没问题，您想借多少？”经理殷勤地询问。

měi yuán
“1美元。”

měi yuán jīng lǐ shí fēn jīng è
“1美元？”经理十分惊愕。

shì de wǒ zhǐ xū yào měi yuán néng jiè gěi wǒ ma
“是的，我只需要1美元，能借给我吗？”

dāng rán jīng lǐ shuō méi wèn tí zhǐ yào yǒu dān bǎo jiè duō
“当然，”经理说，“没问题，只要有担保，借多
shao dōu kě yǐ
少都可以。”

zhǐ jiàn lǎo rén cóng gōng wén bāo zhōng ná chu yī dà duī guó zhài gǔ piào hé
只见老人从公文包中拿出一大堆国债、股票和
zhài quàn děng fàng zài zhuō shang rán hòu wèn zhè xiē zuò
债券等，放在桌上，然后问：“这些做
dān bǎo kě yǐ ma
担保可以吗？”

jīng lǐ qīng diǎn le yī
经理清点了一
xià shuō xiān sheng
下，说：“先生，
zhè xiē dōng xi de zǒng jià
这些东西的总价
zhí yuē yǒu wàn měi
值约有50万美
yuán zú gòu zuò dān bǎo de
元，足够做担保的。

但是，先生，您真的只借1美元吗？”

“没错。”老人点点头。

“好吧，那就办手续吧，年息是6%，您只要付6%的利息，1年后归还借款，我们就将这些做担保的股票、国债等都还给您……”

办完手续，老人准备要离开的时候，一直在一旁观看的银行行长追上来，有些窘迫地问：“对不起，先生，我是这家银行的行长，我想问您一个问题。我实在不明白，您既然拥有50万美元的证券，为什么只借1美元呢？假如您想借40万美元的话，我们也很愿意借给您……”

jì rán nǐ zhè me rè qíng yóu tài lǎo rén shuō wǒ jiù bǎ shí
“既然你这么热情，”犹太老人说，“我就把实

qíng gào su nǐ ba wǒ dào huá ěr jiē lai shì xiǎng bàn yī jiàn shì dàn suí
情告诉你吧。我到华尔街来，是想办一件事，但随

shēn dài zhe zhè xiē zhèng quàn yòu hěn bù fāng biàn wǒ wèn guo jǐ jiā jīn kù xiǎng
身带着这些证券又很不方便。我问过几家金库，想

zū tā men de bǎo xiǎn xiāng lái cún fàng zhè xiē zhèng quàn kě zū jīn dōu shí fēn
租他们的保险箱来存放这些证券，可租金都十分

áng guì yú shì wǒ jiù bǎ zhè xiē dōng xi yǐ dān bǎo de xíng shì cún zài nǐ
昂贵。于是，我就把这些东西以担保的形式存在你

men de yín háng ràng nǐ men tì wǒ bǎo guǎn tā men yīn wèi wǒ zhī dào yín háng
们的银行，让你们替我保管它们。因为我知道银行

hěn ān quán zhèng quàn cún zài zhè li wǒ fēi cháng fàng xīn zhòng yào de shì zhè
很安全，证券存在这里我非常放心！重要的是这

li de lì xī fēi cháng pián yi yī nián cái bù guò měi fēn
里的利息非常便宜，一年才不过6美分……”

勤学魔法棒

这个犹太老人真是聪明，虽然他没有按照常规的思维办事，但他不仅达到了目的，还节省了一大笔钱。小朋友，如果你在学习中也能突破常规思维去思考问题，便意味着你的思维能力比常人高出了许多，也可能会取得超出常人的成绩。

答案就在课本里

zài yī cì shù xué kǎo shì zhōng xiǎo xī yī kàn dào shì juànshang de tí mù jiù shǎ le yǎn nián de shàng bàn nián yǒu duō shao tiān zhè shì shén me tí mù wǒ zěn me zhī dào cóng shàng wǔ dào xià wǔ gòng jīng guò le duō cháng shí jiān zhè ge wǒ yě bù huì

在一次数学考试中，小西一看到试卷上的题目，就傻了眼：“2008年的上半年有多少天？这是什么题目？我怎么知道！”“从上午10：20到下午3：10共经过了多长时间？这个我也不会！”

shì juànshang de tí mù xiǎo xī jū

试卷上的题目，小西居

然有一小半不会，他记得老师曾经讲过这方面的内容，但上课时根本就没好好听，这时又哪里想得起来？考试的结果可想而知。

小西为什么没有在上课时好好听呢？原来，小西是个聪明的孩子，他总觉得课本上的知识太简单了，而且老师在课上讲的内容，他一听就懂。所以，小西便不再多关注课本和老师所讲的知识，总是找来其他的一些课外资料、习题去钻研。

考试结束后，老师专门找小西谈了一次话。老师把小西的试卷放在他面前，说："这次你做得不太好，原因在于你没有掌握一些基础概念。例如'2008年的上半年有多少天'这道题，需要知道这些基础概念：每个月份有多少天，还要知道2008年是闰年，这年的2月份有29天。而这些基础概念都在课本里！

wǒ zhī dào
“我知道

nǐ píng shí xǐ huan zuān
你平时喜欢钻

yán nán tí dàn nǐ gèng
研难题，但你更

yīng gāi zhòng shì kè běn zhī
应该重视课本知

shi kè běn shì qí tā zhī shi
识！课本是其他知识

de jī chǔ xué hǎo le tā nǐ cái néng xué dào
的基础，学好了它你才能学到

gèng duō gèng shēn de zhī shi
更多更深的知识……”

tīng le lǎo shī de huà cōng míng de xiǎo xī rèn shi dào le zì jǐ de bù
听了老师的话，聪明的小西认识到了自己的不

zú yī zài xiàng lǎo shī biǎo shì yǐ hòu yī dìng rèn zhēn tīng kè nǔ lì xué xí
足，一再向老师表示以后一定认真听课，努力学习

kè běn shang de nèi róng
课本上的内容。

勤学魔法棒

小西因为轻视课本知识，尝到了教训。小朋友也要接受这个教训，重视课本中的内容和知识。对一个学生来说，课本知识是基础。只有把基础打好了，才能去进一步提高自己，学到更多的知识。

大脑的抗议

xiǎo mǐ hěn ài shuì lǎn jiào měi tiān zǎo shang qù shàng xué zǒng shì bù dào
小米很爱睡懒觉，每天早上去上学，总是不到
zuì hòu yī kè bù qǐ chuáng suǒ yǐ zǒng lái bu jí chī zǎo fàn yǒu shí cōng cōng
最后一刻不起床，所以总来不及吃早饭，有时匆匆
chī shang jǐ kǒu yǒu shí gān cuì bù chī zhè tiān zǎo shang xiǎo mǐ yòu qǐ de
吃上几口，有时干脆不吃。这天早上，小米又起得
yǒu diǎn er wǎn le méi lái de jí chī zǎo fàn jiù jí cōng cōng de gǎn wǎng xué
有点儿晚了，没来得及吃早饭，就急匆匆地赶往学
xiào le
校了。

dào le shàng dì èr jié kè de shí hou xiǎo mǐ jiù gǎn dào nǎo zi hūn chén
到了上第二节课的时候，小米就感到脑子昏沉
chén de lǎo shī jiǎng de nèi róng tā jī hū tīng bu jìn qù lǎo shī tí de
沉的。老师讲的内容，他几乎听不进去；老师提的
wèn tí tā yě jī hū wú fǎ sī kǎo tā gǎn dào fēi cháng pí juàn rěn bu
问题，他也几乎无法思考。他感到非常疲倦，忍不
zhù hūn shuì qi lai
住昏睡起来。

hū rán xiǎo mǐ tīng dào yī gè jiān xì de
忽然，小米听到一个尖细的
shēng yīn zài shuō wǒ yào kàng yì wǒ xiàn zài
声音在说：“我要抗议！我现在
yíngyǎng bù zú yì cháng pí bèi dōu shì yīn wèi
营养不足，异常疲惫，都是因为
nǐ bù hǎo hǎo chī zǎo fàn
你不好好吃早饭！”

shéi shéi zài shuō huà xiǎo mǐ
“谁？谁在说话？”小米
qí guài de sì chù kàn zhe tóng xué men
奇怪地四处看着，同学们
dōu zài rèn zhēn tīng kè
都在认真听课，
méi rén zài shuō huà ya
没人在说话呀。

shì wǒ nǐ
“是我，你
de dà nǎo nà ge jiān
的大脑！”那个尖
xì de shēng yīn shuō dōu shì yīn wèi nǐ zǎo shang zǒng shì bù hǎo hǎo chī fàn
细的声音说，“都是因为你早上总是不好好吃饭，
gǎo de wǒ měi tiān shàng wǔ dōu kuài yào è sǐ le hún shēn fá lì dāng
搞得我每天上午都快要‘饿’死了！浑身乏力，当
rán méi yǒu lì qi qù jì yì qù sī kǎo le wǒ zài yě wú fǎ rěn shòu xia qu
然没有力气去记忆、去思考了。我再也无法忍受下去
le wǒ yào kàng yì wǒ yào bà gōng
了，我要抗议！我要罢工！”

xiǎo mǐ yī tīng dà nǎo yào bà gōng kě xià huài le xīn xiǎng wǒ de
小米一听大脑要罢工，可吓坏了，心想：我的
dà nǎo yào shi bà gōng wǒ bù jiù chéng le shǎ zi le ma tā huāng máng shuō
大脑要是罢工，我不就成了傻子了吗？他慌忙说：
dà nǎo qiú nǐ qiān wàn bù yào bà gōng cóng míng tiān kāi shǐ wǒ yī dìng huì
“大脑，求你千万不要罢工！从明天开始，我一定会
hǎo hǎo chī zǎo fàn de
好好吃早饭的！”

dīng líng líng xiǎo mǐ hū rán tīng dào yī zhèn cì ěr de líng shēng bù
“丁零零！”小米忽然听到一阵刺耳的铃声，不
yóu yī xià zi jīng xǐng guo lai yuán lái gāng cái zuò le yī gè mèng
由一下子惊醒过来。原来，刚才做了一个梦。

dì èr tiān zǎo shang xiǎo mǐ qǐ de bǐ jiào zǎo chī le zǎo fàn hòu cái
第二天早上，小米起得比较早，吃了早饭后才
qù shàng xué jié guǒ nà tiān shàng wǔ tā de jīng shen tè bié bǎo mǎn tīng kè
去上学。结果那天上午，他的精神特别饱满，听课
rèn zhēn huí dá wèn tí jī jí lǎo shī yī gè jìn er de biǎo yáng tā
认真，回答问题积极，老师一个劲儿地表扬他。

cóng cǐ yǐ hòu xiǎo mǐ zài yě bù gǎn bù chī zǎo fàn le
从此以后，小米再也不敢不吃早饭了。

勤学魔法棒

学习也要搞好后勤给养。早餐是人一天最重要的一餐，只有早餐摄取了足够的能量人才能在一整天保持一个较好的状态，这对于学生尤其重要，否则大脑营养供应不足，可是会“罢工”哦。为了好好学习，请务必要养成好好吃早餐的习惯！

等有了时间

mài kè zài yī jiā bào shè shàng bān měi xīng qī yào fù zé liǎng kuài bǎn miàn
迈克在一家报社上班，每星期要负责两块版面

de biān jí gōng zuò hái yào wài chū cǎi fǎng yīn cǐ
的编辑工作，还要外出采访，因此，

tā zhěng tiān dōu shì máng máng lù lù de suī rán
他整天都是忙忙碌碌的。虽然

tā yī zhí xiǎng shàng jià xiào xué kāi chē dàn
他一直想上驾校学开车，但

yīn wèi zǒng shì méi shí jiān jiù yī zhí
因为总是没时间，就一直

méi qù chéng
没去成。

zhè tiān zhōng wǔ xiū xi de
这天，中午休息的

shí hou mài kè hé yī gè tóng
时候，迈克和一个同

shì zài yī qǐ xián liáo le jǐ jù
事在一起闲聊了几句。

迈克向这个同事说起了自己想去学开车的愿望。同事听完后，对他说："像你这样想，这辈子也不可能学会开车了，因为你永远也不可能有两三个月的空闲时间专门去学开车。相反，如果你不管工作有多忙，现在就去上计时班，虽然时间紧张一点，但年底之前你就能自己开着车上路了。"

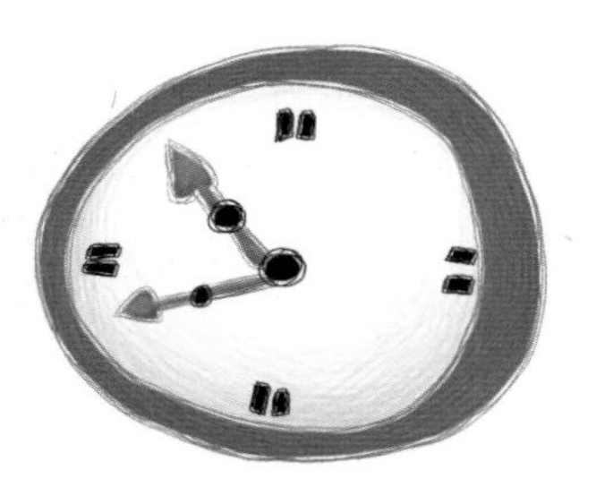

迈克听了同事的建议，立即去报了一个计时班学开车。果然在当年年底之前，他就租了辆小面包车，载着他的朋友们到处兜风了。如今，他已经是一个有多年驾龄的老司机了。

勤学魔法棒

有些人总以"等有了时间"为借口，把想做的或应该做的事情一直往后拖延下去。但时间是不等人的，如果不抓紧，它便不知不觉地流逝了，再也不会回来。所以我们要珍惜时间，抓紧时间学习，不要等到时间荒废了才后悔不已。

“滴答”就行

yǒu yī zhī gāng zhuāng pèi hǎo de zhǎn xīn de xiǎo zhōng bèi zhǔ rén mǎi huí
有一只刚装配好的、崭新的小钟被主人买回
le jiā fàng zài liǎng zhī jiù zhōng de zhōng jiān nà liǎng zhī jiù zhōng zài dī
了家，放在两只旧钟的中间。那两只旧钟在“滴
dā dī dā de rèn zhēn zǒu zhe yī fēn yī miǎo yě bù chà dàn tā
答”、“滴答”地认真走着，一分一秒也不差，但它
men shēn shang de qī yǐ jī hū diào guāng zhēn de shì yòu lǎo yòu jiù shēng yīn
们身上的漆已几乎掉光，真的是又老又旧，声音
yě biàn de shā yǎ nán tīng
也变得沙哑难听。

xiǎo zhōng kàn dào le tā men de yàng zi mǎ shàng míng bai le zhǔ rén
小钟看到了它们的样子，马上明白了：主人
shì yào yòng zì jǐ lái dài tì nà liǎng zhī lǎo zhōng tā rěn bu zhù duì nà liǎng zhī
是要用自己来代替那两只老钟。它忍不住对那两只
jí jiāng bèi táo tài de lǎo zhōng chǎn shēng le tóng qíng xīn tóng shí yě wèi zì jǐ
即将被淘汰的老钟产生了同情心，同时也为自己
de qīng chūn hé huó lì gǎn dào zhān zhān zì xǐ
的青春和活力感到沾沾自喜。

liǎng zhī lǎo zhōng zǎo yǐ jiàn guàn le rén qíng lěng nuǎn hěn kuài jiù kàn chu
两只老钟早已见惯了人情冷暖，很快就看出
le xiǎo zhōng de xīn si qí zhōng yī zhī jiù zhōng gù yì gēn xiǎo zhōng shuō
了小钟的心思，其中一只旧钟故意跟小钟说：
nǐ mǎ shàng jiù yào kāi shǐ gōng zuò le dàn shì wǒ yǒu diǎn dān xīn zuò wéi
“你马上就要开始工作了，但是我有点担心：作为
yī zhī zhōng měi nián dōu yào fēi cháng zhǔn què de zǒu wán jìn sān qiān èr bǎi wàn
一只钟，每年都要非常准确地走完近三千二百万
cì kàn nǐ nà róu ruò de yàng zi kǒng pà nǐ huì chī bu xiāo de
次，看你那柔弱的样子，恐怕你会吃不消的。”

tiān na yī nián yào zǒu sān qiān èr bǎi
“天哪，一年要走三千二百
wàn cì xiǎo zhōng jīng kǒng de jiào qi lai
万次？”小钟惊恐地叫起来，
hái yào fēi cháng zhǔn què wǒ zěn me kě néng
“还要非常准确，我怎么可能

wánchéng zhè me jiān jù
完成这么艰巨
de rèn wu bàn bu dào wǒ
的任务？办不到，我
yī dìng bàn bu dào
一定办不到！”

tā shì zài xià hu nǐ de
“它是在吓唬你的！
bié tīng tā hú shuō bā dào lìng yī zhī lǎo zhōng
别听它胡说八道。”另一只老钟
máng ān wèi xiǎo zhōng shuō bù yòng hài pà nǐ zhǐ xū yào měi miǎo
忙安慰小钟说，“不用害怕，你只需要每秒
zhōng yáo yī xià zhōng bǎi dī dā yī xià jiù kě yǐ le
钟摇一下钟摆，‘滴答’一下就可以了。”

tiān xià nǎ yǒu rú cǐ jiǎn dān qīng sōng de shì qing xiǎo zhōng jiāng xìn
“天下哪有如此简单轻松的事情！”小钟将信
jiāng yí de shuō wǒ zhēn de zhǐ xū yào zuò zhè diǎn shì qing jiù kě yǐ le ma
将疑地说，“我真的只需要做这点事情就可以了吗？”

lǎo zhōng kěn dìng de shuō dāng rán nǐ zhǐ xū yào měi miǎo zhōng yáo
老钟肯定地说：“当然，你只需要每秒钟摇
yī xià zhōng bǎi dī dā yī xià jiù kě yǐ le
一下钟摆，‘滴答’一下就可以了。”

rú guǒ shì zhè yàng wǒ jiù shì shi hǎo le xiǎo zhōng yóu yù de shuō
“如果是这样，我就试试好了。”小钟犹豫地说。

guò le jǐ tiān liǎng zhī lǎo zhōngzhōng yú zǒu le zhǔ rén ràngxiǎo zhōng
过了几天，两只老钟终于走了，主人让小钟
zhèng shì dài tì tā men kāi shǐ gōngzuò
正式代替它们开始工作。

xiǎozhōng àn zhào lǎo zhōng de shuō fǎ bù qù xiǎng yī nián sān qiān èr bǎi
小钟按照老钟的说法，不去想一年三千二百
wàn cì de dà shì yè zhǐ shì qīngsōng de měimiǎo zhōngyáo yī xià zhōng
万次的“大事业”，只是轻松地每秒钟摇一下钟
bǎi dī dā yī xià jiù zhè yàng yī nián hěn kuài jiù guò qu le
摆，“滴答”一下。就这样，一年很快就过去了，
tā zài bù zhī bù jué zhōngyáo bǎi le sān qiān èr bǎi wàn cì ér qiě tā hái
它在不知不觉中摇摆了三千二百万次，而且它还
zài jì xù qīngsōng de yáo bǎi zhe bù zhī bù jué zhōng liǎng nián guò qu le
在继续轻松地摇摆着。不知不觉中，两年过去了，
sān nián guò qu le shí nián guò qu le xiǎozhōng hái jiān chí zài zì jǐ
三年过去了……十年过去了，小钟还坚持在自己
de gǎng wèi shang
的岗位上。

勤学魔法棒

相信每个小朋友的心中都有一个梦想，并希望能够美梦成真。那你想过如何去实现梦想吗？别一味空想太久远的梦想，先从眼前的小事做起，如做好每一道计算题，写好每一个汉字……慢慢地积累起来，你离梦想就会越来越近。

掉在地上的冰激凌

xiǎo jié ruì zuì ài chī bīng jī líng le dàn mā ma wèi le tā de jiàn kāng
小杰瑞最爱吃冰激凌了，但妈妈为了他的健康
zhuó xiǎng hěn shǎo ràng tā chī chú fēi zài tā biǎo xiàn tè bié hǎo de shí hou
着想，很少让他吃，除非在他表现特别好的时候，
cái huì jiǎng lì tā yī gēn
才会奖励他一根。

zhè yī cì jié ruì yǔ wén kǎo de hěn hǎo mā ma jiǎng gěi le
这一次，杰瑞语文考得很好，妈妈奖给了
tā jǐ kuài qián ràng tā zì jǐ qù mǎi bīng jī líng jié ruì
他几块钱，让他自己去买冰激凌。杰瑞
hěn kuài pǎo dào shāng diàn mǎi le gēn dà dàn
很快跑到商店买了根大蛋
juǎn bīng jī líng gāo xìng de yī biān
卷冰激凌，高兴地一边
wǎng huí zǒu yī biān chī
往回走一边吃。

tū rán yī gè bù
突然，一个不

xiǎo xīn jiǎo xià yī bàn jié ruì gāng chī le jǐ kǒu de bīng jī líng zhěng gè diào
小心，脚下一绊，杰瑞刚吃了几口的冰激凌整个掉
dào le dì shang jié ruì zhàn zài nà li dāi dāi de kàn zhe zhān mǎn le ní tǔ
到了地上。杰瑞站在那里，呆呆地看着沾满了泥土
de bīng jī líng yǎn lèi yī xià zi liú le chū lái
的冰激凌，眼泪一下子流了出来。

xiǎo péng yǒu zhēn shi zāo gāo yī
“小朋友，真是糟糕！”一
gè lǎo nǎi nai zǒu le guò lái duì jié ruì shuō
个老奶奶走了过来，对杰瑞说，
dàn shì jì rán nǐ de bīng jī
“但是，既然你的冰激
líng yǐ jīng diào dào dì shang le kū
凌已经掉到地上了，哭
yě shì méi yòng de bù rú
也是没用的！不如
zhè yàng nǐ tuō xia
这样，你脱下
xié zi wǒ
鞋子，我
gěi nǐ kàn yī jiàn
给你看一件
yǒu yì si de shì qing
有意思的事情。”

jié ruì chí yí de tuō xia le xié zi
杰瑞迟疑地脱下了鞋子。

lǎo nǎi nai yòu shuō yòng jiǎo qù cǎi bīng jī líng zhòng zhòng de cǎi
老奶奶又说：“用脚去踩冰激凌，重重地踩！”

杰瑞照她的话做了。看着冰激凌从脚趾缝隙中冒出来，杰瑞感到脚底板凉凉的、滑滑的，有一种说不出的感觉，不禁破涕为笑。

“我敢打赌，这里没有一个孩子尝过脚踩冰激凌的滋味。”老奶奶高兴地笑了，“现在跑回家吧，把这有趣的经验告诉你的妈妈。你要记住，不管遇到什么事情，总是能够从中找到乐趣的。”

杰瑞开心地点点头，说：“我记住了，老奶奶，谢谢你！”然后，他飞快地跑回家去。

勤学魔法棒

正如老奶奶说的，不管遇到什么事情，总有好的一面，总能从中找到乐趣。学习对许多人来说，是件苦差事，但我们也完全能从中得到乐趣，就看你用什么样的心情去对待它了。

富翁选婿

cóng qián yǒu yī gè fù jiǎ tiān xià de fù wēng tā yǒu yī gè dú shēng
从前，有一个富甲天下的富翁。他有一个独生

nǚ ér zhǎng de fēi cháng piào liang hái méi yǒu jié hūn fù wēng xiǎng wèi nǚ
女儿，长得非常漂亮，还没有结婚。富翁想为女

ér xuǎn zé yī gè yǒng gǎn yǒu pò lì de rén zuò zhàng fu
儿选择一个勇敢、有魄力的人做丈夫。

yú shì tā tiē chu le yī zhāng gào shi xuān bù tā yào
于是，他贴出了一张告示，宣布他要

gōng kāi xuǎn zé yī gè nián qīng rén lái zuò zì jǐ de
公开选择一个年青人来做自己的

nǚ xu bìng jì chéng zì jǐ de cái chǎn
女婿，并继承自己的财产。

dào le xuǎn xù de nà yī tiān dàng dì
到了选婿的那一天，当地

de nián qīng rén fēn fēn gǎn lai le tā men yī
的年青人纷纷赶来了，他们一

gè gè yuè yuè yù shì
个个跃跃欲试。

děng le méi duō jiǔ fù wēng jiù chū lai le tā bǎ dà jiā dài dào yī
等了没多久，富翁就出来了。他把大家带到一

gè yóu yǒng chí biān rán hòu shuō rú guǒ yǒu shéi gǎn tiào jin zhè ge yóu yǒng chí
个游泳池边，然后说：“如果有谁敢跳进这个游泳池，

bìng cóng zhè duān yóu dào lìng yī duān shéi jiù kě yǐ qǔ wǒ de nǚ ér bìng jì
并从这端游到另一端，谁就可以娶我的女儿，并继

chéng wǒ suǒ yǒu de cái chǎn
承我所有的财产。”

nà ge yóu yǒng chí bìng bù dà yě bù tài shēn duì yú yī gè nián qīng
那个游泳池并不大，也不太深，对于一个年轻

lì zhuàng de rén lái shuō hěn róng yì jiù néng yóu guo qu dàn jí shǐ miàn duì měi
力壮的人来说，很容易就能游过去。但即使面对美

nǚ hé jīn qián de yòu huò gāng cái nà xiē xìn xīn bǎi bèi de nián qīng rén yě méi
女和金钱的诱惑，刚才那些信心百倍的年青人也没

yǒu yī gè gǎn tiào jin yóu yǒng chí
有一个敢跳进游泳池。

yuán lái nà ge yóu yǒng chí li yǒu yī tiáo è yú zhèng zhāng zhe dà zuǐ
原来，那个游泳池里有一条鳄鱼，正张着大嘴，

kàn zhe àn shang de rén men sì hū zài kàn nǎ ge rén gèng kě kǒu
看着岸上的人们，似乎在看哪个人更可口。

dà jiā dōu zài děng dài zhe shí jiān guò qu hěn jiǔ le yī rán méi rén gǎn
大家都在等待着。时间过去很久了，依然没人敢

tiào xia qu
跳下去。

tū rán dà jiā tīng dào pū tōng yī shēng zhǐ jiàn yī gè nián qīng
突然，大家听到“扑通”一声，只见一个年青

rén zòng shēn tiào rù le yóu yǒng chí bìng fēi kuài de xiàng duì àn yóu qu dāng rén
人纵身跳入了游泳池，并飞快地向对岸游去。当人

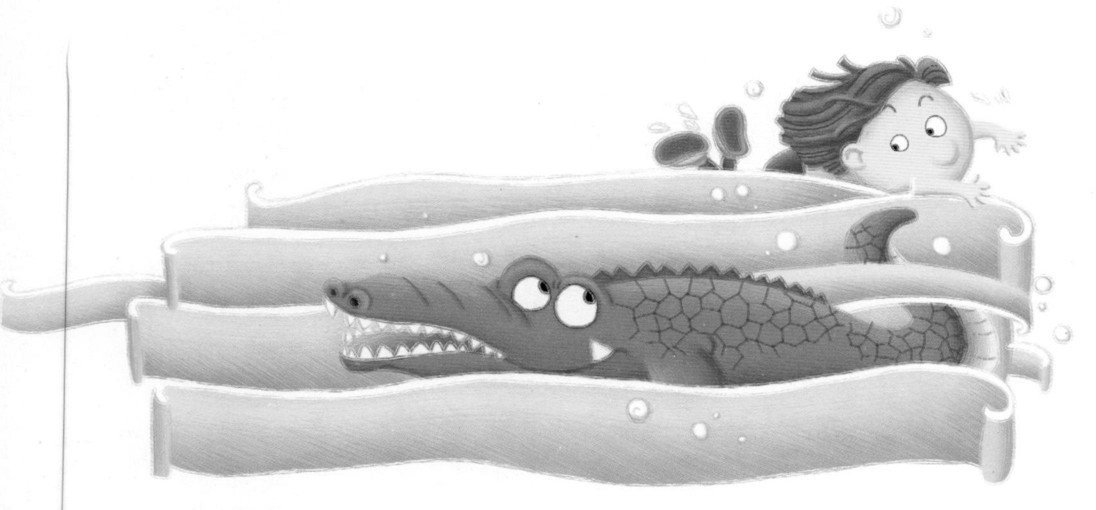

men de jīng hū shēng hái méi jié shù de shí hou tā yǐ jīng pá dào le àn shang
们的惊呼声还没结束的时候，他已经爬到了岸上。

rén qún dùn shí huān shēng léi dòng dà jiā fēn fēn zǒu shang qu xiàng tā biǎo
人群顿时欢声雷动，大家纷纷走上去向他表

shì zhù hè zhè shí zhǐ jiàn nà ge nián qīng rén tuī kai zhòng rén fèn nù de
示祝贺。这时，只见那个年青人推开众人，愤怒地

xiàng duì àn hǎn dào gāng cái shì shéi shéi bǎ wǒ chuài dào shuǐ li de
向对岸喊道：“刚才是谁？谁把我踹到水里的？”

勤学魔法棒

小朋友，这个故事好笑吧？但细想之下，又发人深省。很多时候，也许只需要付出不多的努力，我们就能成功，最后却因为害怕困难危险、担心失败而不敢去做我们力所能及的事情。所以，在学习上不经过努力，千万不要轻言失败哦。

勇于挑战权威的哈维

公元2世纪，古罗马解剖学家盖仑在解剖时第一次发现，活机体的血管里有血液在流动，并首次对血液流动进行了研究，然后提出：血液由肝脏制造出来，靠“灵气”推动流向全身，并“一去不复返”。盖仑的观点充满了谬误，但被后来的基督教会纳入了基督教义。

cóng cǐ zài ōu zhōu màn cháng de zhōng shì jì gài lún chéng le jiě pōu
从此，在欧洲漫长的中世纪，盖仑成了解剖
xué jiè hé xuè yè xué jiè de quán wēi tā de guān diǎn dà jiā zhǐ néng háo wú huái
学界和血液学界的权威，他的观点大家只能毫无怀
yí de rèn kě
疑地认可。

shì jì shí xī bān yá shēng lǐ xué jiā sāi ěr wéi tè shǒu cì fā xiàn
16世纪时，西班牙生理学家塞尔维特首次发现
le rén tǐ xuè yè de fèi xún huán yuán lǐ tā míng què zhǐ chu yóu yòu xīn shì
了人体血液的肺循环原理。他明确指出：由右心室
chū lai de xuè yè tōng guò fèi dòng mài ér jìn rù fèi bù zài fèi xuè guǎn zhōng bèi
出来的血液通过肺动脉而进入肺部，在肺血管中被
gǎi zào chéng xiān hóng sè zài jìn rù fèi jìng mài rán hòu fǎn huí xīn zàng
“改造”成鲜红色，再进入肺静脉，然后返回心脏。
zhè xiàng zhòng dà de shēng lǐ xué fā xiàn diàn dìng le jīn tiān xuè yè xún huán yán
这项重大的生理学发现，奠定了今天血液循环研
jiū de jī chǔ
究的基础。

dàn lìng rén zhèn jīng de shì yóu yú sāi ěr wéi tè de fā xiàn yǔ gài lún xué
但令人震惊的是，由于塞尔维特的发现与盖仑学
shuō xiāng máo dùn dòng yáo le jī dū jiào jiào yì nián bǎo shǒu de jiào
说相矛盾，动摇了基督教教义，1553年，保守的教
huì zài rì nèi wǎ cán rěn de shāo sǐ le tā
会在日内瓦残忍地烧死了他！

zài sāi ěr wéi tè zhī hòu yòu yǒu yī wèi yǒng gǎn de xué zhě duì gài lún
在塞尔维特之后，又有一位勇敢的学者对盖仑
de xué shuō tí chu le zhì yí tā jiù shì hā wéi hā wéi yú nián chū
的学说提出了质疑，他就是哈维。哈维于1578年出

shēng zài yīng guó shì yī gè chū sè de yī shēng
生在英国，是一个出色的医生。

hā wéi jīng guò jiě pōu rén tǐ fā xiàn sāi ěr wéi tè de lǐ lùn shì zhèng
哈维经过解剖人体，发现塞尔维特的理论是正

què de wèi le yǒu lì de bó dǎo quán wēi tā gēn jù cè dìng zuò le zhè
确的。为了有力地驳倒权威，他根据测定，做了这

yàng de jì suàn měi yī cì cóng zuǒ xīn shì
样的计算：每一次从左心室

zhōng liú chu lai de xuè yè dà yuē
中流出来的血液，大约

zhòng àng sī ruò yī gè rén měi fēn
重 2 盎司。若一个人每分

zhōng xīn zàng tiào dòng cì nà me zài xiǎo
钟心脏跳动 72 次，那么在 1 小

shí nèi cóng zuǒ xīn shì jiù liú chu le àng
时内，从左心室就流出了 8640 盎

sī jí bàng xuè
司（2×72×60），即 540 磅血

yè xiāng dāng yú yī gè chéng nián
液，相当于一个成年

rén tǐ zhòng de bèi
人体重的 3 倍！

rú guǒ gài lún
如果盖仑

shuō de shì shì shí nà měi fēn
说的是事实，那每 20 分

zhōng jiù yào cóng xīn zàng liú chu xiāng dāng yú
钟就要从心脏流出相当于

rén tǐ tǐ zhòng de xuè yè ér zhè xiǎn rán shì bù kě néng de wéi yī zhèng què
人体体重的血液，而这显然是不可能的！唯一正确

de jiě shì shì rén tǐ nèi de xuè yè shì xún huán liú dòng de cóng xīn zàng li
的解释是：人体内的血液是循环流动的。从心脏里

liú chu jīng guò dòng mài xuè guǎn liú rù jìng mài xuè guǎn chóng xīn huí dào xīn
流出，经过动脉血管，流入静脉血管，重新回到心

zàng zhè jiù shì hā wéi chuàng lì de zhù míng de xuè yè xún huán xué shuō
脏。这就是哈维创立的著名的“血液循环学说”。

tiě zhèng yī bān de shù zì wán quán bó dǎo le gài lún xuè yè yī qù
铁证一般的数字，完全驳倒了盖仑“血液一去

bù fù fǎn de miù lùn
不复返”的谬论。

hā wéi hái tí chu xīn zàng de gōng néng jiù shì bǎ xuè yè bèng rù dòng mài
哈维还提出：心脏的功能就是把血液泵入动脉。

qǐ chū tā de xué shuō tóng yàng zāo dào fǎn duì dàn shì tā méi yǒu fàng qì
起初，他的学说同样遭到反对，但是他没有放弃。

tā gěi chu dà liàng de shí yàn zhèng jù zhí dào tā shì shì hòu de dì sì nián
他给出大量的实验证据，直到他逝世后的第四年，

xiǎn wēi jìng de wèn shì cái zhēn zhèng zhèng shí le tā de xué shuō
显微镜的问世，才真正证实了他的学说。

勤学魔法棒

知识的海洋无限广阔，即使是权威也免不了出错！小朋友们面对的“权威”主要是书本、父母以及老师，即使去挑战，也决不会出现像塞尔维特那么严重的后果。你如果去挑战，父母和老师很可能会很高兴的，因为这说明你经过自己的认真主动思考，有了自己的想法。

给自己做个“宝箱”

wǒ guó táng dài yǒu wèi shī rén jiào lǐ hè tā zài hěn niánqīng de shí hou biàn
我国唐代有位诗人叫李贺，他在很年轻的时候便
chéng le zhù míng shī rén yīn wèi tā de shī jù fēi cháng qí tè fù yǒu xiǎng
成了著名诗人。因为他的诗句非常奇特，富有想
xiàng lì suǒ yǐ rén men chēng tā wéi shī guǐ
象力，所以人们称他为“诗鬼”。

lǐ hè néng xiě chu hǎo shī zhǔ yào shì yīn wèi tā
李贺能写出好诗，主要是因为他
yǒu gè zhuān mén shōu jí hǎo shī jù de
有个专门收集好诗句的
jǐn náng tā xiě shī de shí hou
“锦囊”。他写诗的时候，
cóng lái dōu bù shì àn bù
从来都不是按部
jiù bān xiān dìng xia
就班先定下
tí mù zài xún zhǎo
题目，再寻找

素材的。他常常骑着一匹瘦弱的马，带着一个小书童，背着一个锦囊，四处游荡。碰到好的对联或者句子，便抄下来，放在锦囊里。他自己有了灵感，想起好的句子，也写下来，放在锦囊里。

晚上，他回到家里，点上灯，便开始整理锦囊。母亲见要整理的东西很多，心痛地说：“这孩子，要把心肝呕出来才算完吗？”之后，她便送来饭让李贺吃。李贺吃完饭，开始整理那些诗句，每写成一首完整的诗，就放在另一个锦囊里。只要没有特别重要的事情，天天如此。

勤学魔法棒

这种注重平时积累的学习方法，不光对写作有帮助，其实对于学习其他学科的内容也一样有用。比方说背英语单词、记数学公式以及课外阅读等，都可以采取这种平时积累法，通过“每天多做一点点”来日积月累。坚持下去，时间长了，就会发现收效很大。

韩信画兵

hán xìn shì xī hàn chū nián de zhù míng jūn shì jiā tā bāng zhù liú bāng dǎ
韩信是西汉初年的著名军事家，他帮助刘邦打
bài xiàng yǔ jiàn lì le hàn cháo qǐ chū móu shì xiāo hé
败项羽建立了汉朝。起初，谋士萧何
zhèng zhòng xiàng liú bāng tuī jiàn bù qǐ yǎn de hán xìn jiàn
郑重向刘邦推荐不起眼的韩信，建
yì ràng hán xìn dāng tǒng jūn dà jiàng liú bāng jué dìng xiān kǎo
议让韩信当统军大将，刘邦决定先考
yàn yī xià hán xìn de néng lì
验一下韩信的能力。

jù shuō liú bāng
据说，刘邦
dāng shí jiāo gěi hán xìn yī
当时交给韩信一
kuài bù dà de juàn bù
块不大的绢布，
shuō qǐng nín zài
说：“请您在

zhè kuài bù shang huà chu nín xiǎng yào de jūn duì nín néng huà chu duō shao bīng
这块布上画出您想要的军队，您能画出多少兵，
wǒ biàn gěi nín duō shao bīng
我便给您多少兵。”

hěn kuài hán xìn biàn huà hǎo le liú bāng jiē guo lai yī kàn dà chī yī
很快，韩信便画好了。刘邦接过来一看，大吃一
jīng yuán lái hán xìn huà le yī miàn dà qí shàng miàn xiě zhe yī gè shuài
惊！原来，韩信画了一面大旗，上面写着一个“帅”
zì qí xià yī yuán dà jiàng zhèng yuè mǎ tí qiāng cóng chéng mén dòng dǐ xià chōng
字，旗下一员大将正跃马提枪从城门洞底下冲
chu lai zhěng gè huà miàn bù jiàn yī gè shì bīng dàn shì yī zhī páng dà jūn duì
出来。整个画面不见一个士兵，但是一支庞大军队
de qì shì yuè rán zhǐ shàng liú bāng dà wéi zhèn dòng yú shì ràng hán xìn dāng le
的气势跃然纸上。刘邦大为震动，于是让韩信当了
tǒng jūn dà jiàng
统军大将。

勤学魔法棒

韩信运用自己的想象力，巧妙地画出了一支看不见的庞大军队。学习中同样需要丰富的想象力，对一些比较抽象的知识而言更是如此。大科学家爱因斯坦说：“想象力比知识更重要。”正是无限的想象，在推动着人类科学不断进步。

高尔基吃闭门羹

马克西姆·高尔基是苏联文学的奠基者，被列宁称为“无产阶级艺术最伟大的代表者”。他的原名是阿列克赛·马克西莫维奇·彼什科夫。

有一次，高尔基到中苏边境附近旅游。他一个人慢慢走着，欣赏着周围的景色。傍晚时分，他才决定返回，

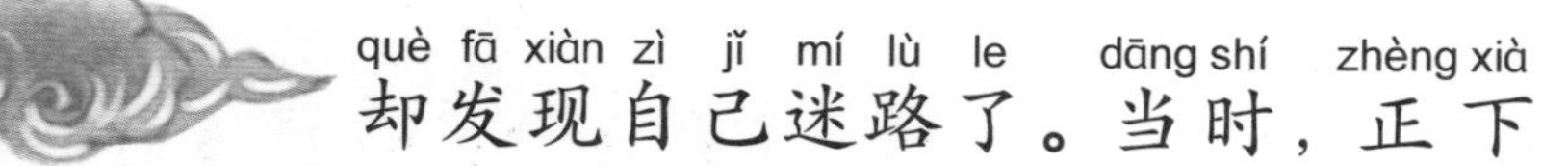

què fā xiàn zì jǐ mí lù le dāng shí zhèng xià
却发现自己迷路了。当时，正下
zhe dà xuě suí zhe yè mù de jiàng lín tiān qì yuè lái yuè hán lěng ér gāo ěr
着大雪，随着夜幕的降临，天气越来越寒冷，而高尔
jī yǐ jīng bèi dòng de yǒu xiē shòu bu liǎo le bì xū kuài
基已经被冻得有些受不了了，必须快
diǎn zhǎo dào yī gè zhù de dì fang cái xíng dàn nà shí de
点找到一个住的地方才行。但那时的
zhōng sū biān jìng rén yān xī shǎo hěn nán zhǎo dào rén jiā
中苏边境人烟稀少，很难找到人家。

gāo ěr jī zhǐ néng màn wú mù dì de wǎng qián zǒu zhe hū rán tā kàn
高尔基只能漫无目的地往前走着。忽然，他看
dào qián fāng chū xiàn le yī diǎn wēi ruò de dēng guāng bù jīn dà xǐ máng dà bù
到前方出现了一点微弱的灯光，不禁大喜，忙大步
xiàng zhe dēng guāng zǒu qu
向着灯光走去。

tā zǒu dào le yī gè xiǎo cūn zhuāng qián miàn kàn dào cūn tóu de yī hù rén
他走到了一个小村庄前面，看到村头的一户人
jiā hái liàng zhe dēng biàn shàng qián qiāo le qiāo mén bìng dà shēng shuō wǒ shì
家还亮着灯，便上前敲了敲门，并大声说：“我是
guò lù de yóu kè mí lù le ràng wǒ zài zhè li zhù yī wǎn ba
过路的游客，迷路了，让我在这里住一晚吧。”

nǐ shì shéi wū li yǒu yī gè lǎo tài tai dà shēng wèn
“你是谁？”屋里有一个老太太大声问。

gāo ěr jī ào màn de shuō ā liè kè sài mǎ kè xī mò wéi qí
高尔基傲慢地说：“阿列克赛·马克西莫维奇·
bǐ shén kē
彼什科……”

tā de huà hái méi shuō wán jiù tīng lǎo tài tai shuō le yī jù rén tài
他的话还没说完，就听老太太说了一句：“人太

duō le tóng shí gānggāng dǎ kāi yī diǎn er de mén pēng de bèi guān
多了！”同时，刚刚打开一点儿的门“嘭”地被关

shang le
上了。

gāo ěr jī zěn me yě méi xiǎng dào tā jū rán huì bèi rén jù zhī mén wài
高尔基怎么也没想到，他居然会被人拒之门外。

yào zhī dào tā de míng zi kě shì zuì hǎo de zhāo pai shéi tīng dào zhè ge míng
要知道，他的名字可是最好的招牌，谁听到这个名

zi bù shì gōng gōng jìng jìng de
字不是恭恭敬敬的！

tā wú nài de zài wài miàn zhàn le yī huì er lěng de hún shēn zhí fā dǒu
他无奈地在外面站了一会儿，冷得浑身直发抖。

zuì hòu tā zhǐ hǎo yòu qīng qīng qiāo le qiāo mén jiǎn duǎn de shuō wǒ shì gāo
最后，他只好又轻轻敲了敲门，简短地说：“我是高

ěr jī nín néng ràng wǒ jìn wū nuǎn huo yī xià ma
尔基，您能让我进屋暖和一下吗？”

zhè shí lǎo tài tai cái kāi le mén yī biān ràng tā jìn wū yī biān
这时，老太太才开了门，一边让他进屋，一边

shuō suī rán wǒ bù rèn shi nǐ dàn nǐ bǐ gāng cái nà rén yǒu lǐ mào duō le
说：“虽然我不认识你，但你比刚才那人有礼貌多了！”

勤学魔法棒

学习要虚心、踏实。有的小朋友学习好，老师喜欢，但是同学们却不喜欢，这是因为他太骄傲了。学习好不代表什么都好；现在学习好，也不代表永远学习好。因此，就算学习很好，也不要虚荣、骄傲哦！

龟兔赛学习

tù zi zài yǔ wū guī de sài pǎo zhōng shū le hòu hěn bù fú qì de shuō

兔子在与乌龟的赛跑中输了后，很不服气地说：

nà cì sài pǎo zhǐ shì yīn wèi wǒ tài dà yi le cái

“那次赛跑，只是因为我太大意了，才

ràng wū guī jiǎo xìng yíng le rú guǒ zài bǐ yī cì

让乌龟侥幸赢了。如果再比一次，

wū guī jué bù huì yǒu nà me hǎo de yùn qi

乌龟绝不会有那么好的运气！”

wū guī tīng shuō hòu

乌龟听说后，

zhǎo dào tù zi xiào zhe shuō

找到兔子，笑着说：

nà wǒ men jiù zài

“那我们就再

bǐ yī cì

比一次

吧，但上次已经比过跑步了，这次就换点新鲜的。不如……我们就比赛学习，虎大王刚发布了一本《丛林生存法则》，要求大家都要学会。这本书是由知识渊博的山羊博士编的，里面包含了各个方面的知识。我们就来比赛，看谁能在一个月的时间内，把这本《法则》学得更好。”

“没问题！”兔子信心十足地说。

乌龟和兔子找了很多见证人，并请山羊博士来做裁判。

从那天起，兔子就起早贪黑地学习，从早到晚除了吃饭、睡觉，就是不停地学习。

而乌龟依然是不紧不慢，该学习时学习，该玩时玩。很多动物见乌龟这样，都以为它必输无疑。

dàn yī gè yuè hòu dà jiā dōu dà chī yī jīng yīn wèi shān yáng bó shì
但一个月后，大家都大吃一惊，因为山羊博士

tí chu de wèn tí wū guī dōu huí dá de jì zhǔn què yòu liú lì suī rán tù zi
提出的问题，乌龟都回答得既准确又流利，虽然兔子

huí dá de yě bù cuò dàn míng xiǎn yào bǐ wū guī chà yī xiē wū guī háo wú
回答得也不错，但明显要比乌龟差一些，乌龟毫无

xuán niàn de yíng dé le zhè cì bǐ sài de shèng lì
悬念地赢得了这次比赛的胜利。

tù zi yí huò de wèn wū guī wǒ bǐ nǐ qín
兔子疑惑地问：“乌龟，我比你勤

fèn duō le wèi shén me xué de hái shi bù rú nǐ hǎo ne
奋多了，为什么学得还是不如你好呢？

wǒ bù jué de nǐ bǐ wǒ cōngmíng a
我不觉得你比我聪明啊！”

wǒ shì bù bǐ nǐ cōngmíng wū
“我是不比你聪明，”乌

guī shuō dàn wǒ zài xué xí shí zhù yì
龟说，“但我在学习时注意

láo yì jié hé hái zhuā zhù le xué xí
劳逸结合，还抓住了学习

de zuì jiā shí jiān yī tiān zhōng
的最佳时间：一天中，

dà nǎo huó dòng gōng néng zuì
大脑活动功能最

qiáng de shí
强的时

jiān shì zài qǐ
间是在起

chuánghòu xiǎo shí jí shàng wǔ diǎn
床后3~4小时，即上午10~11点，

zhè shì xué xí de huáng jīn shí duàn yòng yú jì yì
这是学习的黄金时段，用于记忆、

lǐ jiě xiào guǒ fēi cháng hǎo lìng wài
理解，效果非常好。另外，

xià wǔ diǎn shì lìng yī gè xué xí huáng
下午2~3点是另一个学习黄

jīn shí duàn tè bié shì yòng yú lǐ jiě nán dù jiào
金时段，特别适用于理解难度较

dà de zhī shi wǎnshang diǎn shì yī tiānzhōng de dì sān gè xué xí huáng
大的知识；晚上8~9点，是一天中的第三个学习黄

jīn shí duàn yòng lai fù xí gōng kè shì zuì hǎo bù guò de ér wǒ jiù shì chōng
金时段，用来复习功课是最好不过的。而我就是充

fèn lì yòng zhè sān gè huáng jīn shí duàn zhù yì lì fēi cháng jí zhōng de zài xué
分利用这三个黄金时段，注意力非常集中地在学

xí qí tā shí jiān duàn gāi xiū xi shí zé xiū xi zhù yì láo yì jié hé zhè
习，其他时间段该休息时则休息，注意劳逸结合，这

yàng xué xí qi lai cái shì bàn gōng bèi
样学习起来才事半功倍。”

勤学魔法棒

乌龟说的“学习的三个黄金时段”并非是乌龟自己的经验，而是经过科学研究证明过的。小朋友们在学习时如果能抓住这三个黄金时段，也一定会取得非常好的效果。

怀素练字

huái sù shì wǒ guó tángcháo shí zhùmíng de shū fǎ jiā tā de kuángcǎo
怀素是我国唐朝时著名的书法家。他的“狂草”，
yòng bǐ yuán jìn yǒu lì bēnfàng liú chàng yī qì hē chéng duì hòu shì yǐng xiǎng
用笔圆劲有力，奔放流畅，一气呵成，对后世影响
jí wéi shēnyuǎn
极为深远。

huái sù xiǎo shí hou jiā li hěnqióng nián shào shí jiù chū jiā dāng le hé shang
怀素小时候家里很穷，年少时就出家当了和尚，
zài sòng jīng zuò chán děng fó shì zhī yú tā duì shū fǎ chǎn shēng le nóng hòu
在诵经、坐禅等佛事之余，他对书法产生了浓厚
de xìng qù sì miàozhōng de shēnghuó běn lái jiù shì qīng kǔ de mǎi bu qǐ dà
的兴趣。寺庙中的生活本来就是清苦的，买不起大
liàng de zhǐ zhāng lái liàn zì tā biànzhǎo lai yī kuài mù bǎn hé yuán pán tú shang
量的纸张来练字，他便找来一块木板和圆盘，涂上
bái qī shū xiě xiě wán yī biàn zhī hòu tā biàn mǒ qu mò jì zài chóng xīn xiě
白漆书写。写完一遍之后，他便抹去墨迹再重新写。

hòu lái huái sù jué de qī bǎn tài huá yòu bù xī mò jiù zài sì yuàn
后来，怀素觉得漆板太滑，又不吸墨，就在寺院

fù jìn kāi pì le yī kuài huāng dì zhòng zhí le yī wàn duō zhū bā jiāo shù bā
附近开辟了一块荒地，种植了一万多株芭蕉树。芭
jiāo yè zhǎng dà hòu tā měi tiān zhāi xia bā jiāo yè pū zài zhuō shang yòng lai
蕉叶长大后，他每天摘下芭蕉叶，铺在桌上，用来
xiě zì měi xiě wán yī zhāng tā jiù bǎ bā jiāo yè dìng zài qiáng shang rèn zhēn
写字。每写完一张，他就把芭蕉叶钉在墙上，认真
de jìn xíng bǐ jiào kàn kan nǎ li xiě de hǎo nǎ li xiě de bù hǎo bìng cóng
地进行比较，看看哪里写得好，哪里写得不好，并从
zhōng zhǎo chu bù hǎo de yuán yīn zhí dào mò gān hòu tā cái bǎ bā jiāo yè qǔ
中找出不好的原因。直到墨干后，他才把芭蕉叶取
xia lai fàng zài yī jiān kōng wū li shí jiān cháng
下来，放在一间空屋里。时间长
le huái sù yòng guo de bā jiāo yè jìng duī le
了，怀素用过的芭蕉叶竟堆了
mǎn mǎn yī wū
满满一屋。

yóu yú huái sù bù fēn zhòu yè de liàn zì lǎo
由于怀素不分昼夜地练字，老
bā jiāo yè dōu bèi zhāi guāng le xīn bā jiāo yè què
芭蕉叶都被摘光了，新芭蕉叶却
hái méi yǒu zhǎng
还没有长
dà tā yòu
大。他又
shě bu de zhāi méi
舍不得摘没
zhǎng dà de bā jiāo yè
长大的芭蕉叶，

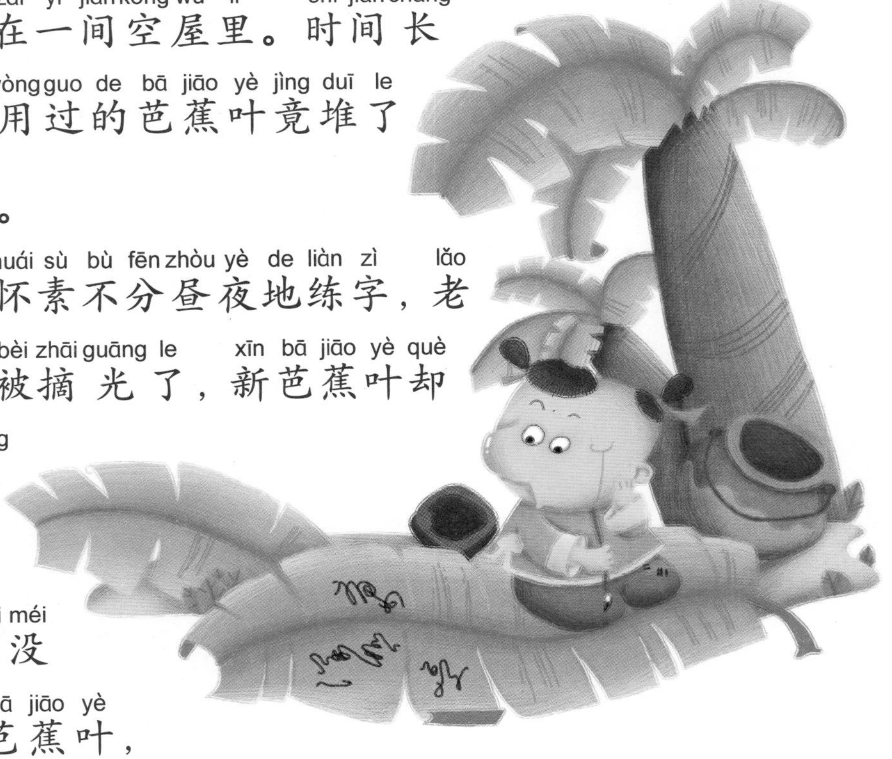

便干脆带了笔墨站在芭蕉树前，直接在鲜叶上书写。

夏天，在烈日的炙烤下，他汗流浃背，如同坐在蒸笼里；冬天，刺骨的北风，吹得他皮肤皲裂，十指麻木，但怀素仍然专心致志、坚持不懈地练字。他写完一处，再写另一处，从未间断。

练习书法时，怀素用坏了许多毛笔，舍不得扔掉，就把它们堆在一起，埋起来，称为“笔冢”；他没有合适的盛水器皿，便到屋外的一个小石头池子里洗笔，日久天长，池水全变成了黑水，称为“墨池”。“笔冢墨池”的成语典故就是由他所得。

勤学魔法棒

俗话说，“一分耕耘，一分收获”，“吃得苦中苦，方为人上人”。小朋友，学习是艰苦的，要想取得好成绩，就得做好吃苦的准备，光想着舒舒服服地享乐，是不可能取得好成绩的。怀素练字，以苦为乐，享受这个苦的过程，值得我们学习。

鸡蛋，鸡蛋，还是鸡蛋！

yǐ qián yǒu yī gè hào miàn zi de nán fāng rén
以前，有一个好面子的南方人，
cóng lái bù chī jī dàn yě cóng lái bù chī jī dàn
从来不吃鸡蛋，也从来不吃鸡蛋
zuò de qí tā shí wù yǒu yī cì tā chū yuǎn
做的其他食物。有一次，他出远
mén dào běi fāng bàn shì zhōng wǔ de shí hou
门到北方办事。中午的时候，
tā jìn le yī jiā fàn guǎn xiǎng chī diǎn dōng xi
他进了一家饭馆，想吃点东西。

fàn diàn de huǒ ji kàn dào lái le kè rén máng rè qíng de shàng qián zhāo hu
饭店的伙计看到来了客人，忙热情地上前招呼：
kè guān xiǎng chī diǎn shén me
“客官，想吃点什么？”

nǐ men diàn zuì ná shǒu de cài shì shén me
“你们店最拿手的菜是什么？”

wǒ men diàn zuì ná shǒu de cài shì mù xū ròu nín yào bu yào lái yī fèn
“我们店最拿手的菜是木须肉，您要不要来一份？”

nán fāng rén bù zhī dào mù xū ròu shì shén me biàn shuō dào hǎo de
南方人不知道木须肉是什么，便说道：“好的，
lái yī fèn
来一份。”

děng cài duān shang lai yī kàn nán fāng rén fā xiàn lǐ miàn yǒu zì jǐ bù chī
等菜端上来一看，南方人发现里面有自己不吃
de jī dàn dàn yòu bù gǎn shuō chu lai pà rén jia xiào huà zì jǐ lián mù xū
的鸡蛋，但又不敢说出来，怕人家笑话自己连木须
ròu shì shén me dōu bù zhī dào yú shì tā yòu wèn dào nǐ men diàn hái yǒu bié
肉是什么都不知道。于是他又问道：“你们店还有别
de hǎo cài ma
的好菜吗？”

huǒ ji shuō yǒu tān huáng cài hǎo bu hǎo
伙计说：“有，摊黄菜好不好？”

hǎo lái yī fèn nán fāng rén duì huǒ ji
“好，来一份。”南方人对伙计
shuō dàn tóng shí zài xīn li dí gu zhe tān huáng
说，但同时在心里嘀咕着：摊黄
cài shì shén me dōng xi pú sà bǎo
菜是什么东西？菩萨保
yòu lǐ miàn qiān wàn bié yǒu
佑，里面千万别有
jī dàn
鸡蛋！

kě shì pú sà hǎo
可是，菩萨好
xiàng méi tīng jiàn tā de dǎo gào
像没听见他的祷告，

等菜一端上来，又有他不吃的鸡蛋。南方人有些傻眼了，不敢再点菜，心想：我干脆吃些点心算了，点心里总不会有鸡蛋吧！于是他又问伙计：“我想先吃些点心，你们这里有什么好吃的点心吗？”

“有窝果子。”伙计说。

“好，那就多拿几个来吧。”

等伙计把窝果子端上来，南方人一看，居然还是鸡蛋！只不过是囫囵的。南方人十分恼火，却又怕人家笑话，于是拍了几下肚子说：“算了，我不吃了，我不饿！”说完，付了钱就走了。

勤学魔法棒

故事中的南方人怕别人笑话，不敢承认自己的无知，就只能饿肚子了。小朋友，我们在学习中，可千万不要像这个南方人呀，有不明白的问题一定要勇敢地提出来，没人会笑话你的，别人只会称赞你的勤学好问；不能不懂装懂，否则，有些问题就永远学不会了。

假兴趣变成了真兴趣

zhè tiān xiǎo mǎ shā chóu méi kǔ liǎn de duì bà ba shuō bà ba wǒ
这天，小玛莎愁眉苦脸地对爸爸说：“爸爸，我
zhēn tǎo yàn shàng shù xué kè yě bù xǐ huan zuò shù xué liàn xí kě shì kě
真讨厌上数学课，也不喜欢做数学练习。可是，可
shì shù xué kè nà me duō lǎo shī hái bù zhì
是……数学课那么多，老师还布置
le nà me duō liàn xí
了那么多练习！”

bà ba tīng le zhī hòu
爸爸听了之后，
xiǎng le bàn tiān cái duì mǎ
想了半天，才对玛
shā shuō kàn lai
莎说：“看来
nǐ shì duì shù xué bù
你是对数学不
gǎn xìng qù bù guò
感兴趣，不过

nǐ kě yǐ jiǎ zhuāng duì tā yǒu xìng qù ya
你可以假装对它有兴趣呀。”

mǎ shā qí guài de kàn zhe bà ba bà ba
玛莎奇怪地看着爸爸，爸爸

jiē zhe shuō nǐ zài shàng měi jié shù xué kè zhī
接着说：“你在上每节数学课之

qián yào dà shēng gào su zì jǐ shù xué wǒ hěn
前，要大声告诉自己：‘数学，我很

xǐ huan nǐ shù xué nǐ zhēn yǒu qù wǒ yī dìng néng xué hǎo nǐ
喜欢你！’‘数学，你真有趣，我一定能学好你！’

huò zhě shù xué wǒ duì nǐ chōng mǎn le xìng qù
或者‘数学，我对你充满了兴趣！’”

kě shì zhè bù shì wǒ de zhēn xīn huà
“可是，这不是我的真心话。”

suǒ yǐ shuō jiǎ zhuāng ya bù guǎn shì bu shì zhēn xīn huà wèi le shàng
“所以说假装呀，不管是不是真心话，为了上

shù xué kè de shí hou néng jiǎn shǎo tòng kǔ nǐ jiù jiǎ zhuāng yī xià ba
数学课的时候能减少痛苦，你就假装一下吧。”

zài zhī hòu de jǐ tiān li mǎ shā yī zhí àn zhào bà ba de huà qù zuò
在之后的几天里，玛莎一直按照爸爸的话去做。

tóng shí bà ba hái yāo qiú mǎ shā rú guǒ xīn qíng
同时，爸爸还要求玛莎，如果心情

bù hǎo jiù bù yào qù zuò shù xué liàn xí zhǐ yǒu
不好就不要去做数学练习，只有

zài xīn qíng hǎo de shí hou cái qù zuò shù xué
在心情好的时候，才去做数学

liàn xí ér qiě bà ba hái yǒu yì
练习。而且爸爸还有意

识地给玛莎出了一些相对简单的数学练习，绝大部分玛莎都能做对。爸爸于是就一个劲儿地夸赞她说：“玛莎，真棒，做对了这么多题！”“玛莎，真聪明，这么难的题也能做对！”

爸爸的夸赞让玛莎心里美滋滋的，不再那么害怕和讨厌数学了，觉得自己也是能学好数学的。慢慢地，玛莎发现，原来学习数学并不痛苦，相反还十分有趣。最后，玛莎从原来对数学假装感兴趣变成了真的感兴趣。

勤学魔法棒

小朋友，你要是对某一门课或学习不感兴趣，就试着让自己假装对它感兴趣吧，当然还要采取一定的措施，例如故事中爸爸的方法。坚持一段时间后，必定会产生让你惊喜的效果。

坚持一下就会了

yǒu jǐ gè rén xiǎng bài yī wèi zhì zhě wéi shī yǐ shí xiàn zì jǐ de lǐ
有几个人想拜一位智者为师，以实现自己的理
xiǎng zhè wèi zhì zhě gào su tā men nǐ men yào zuò wǒ de xué shēng bì xū
想。这位智者告诉他们：“你们要做我的学生，必须
tōng guò wǒ de kǎo yàn tā ná chu yī xiē xīn zhú tái gào su nà xiē rén shuō
通过我的考验。”他拿出一些新烛台，告诉那些人说：
zhè xiē zhú tái dōu shì xīn mǎi lai de měi rén ná zǒu yī gè nǐ men
“这些烛台都是新买来的，每人拿走一个。你们
yào zuò de shì qing jiù shì bǎo chí zhú tái guāng liàng rú xīn
要做的事情就是保持烛台光亮如新。
shéi zuò de hǎo shéi jiù shì wǒ de xué
谁做得好，谁就是我的学
shēng shuō wán biàn bǎ zhè xiē
生。”说完便把这些
zhú tái fēn gěi měi gè rén
烛台分给每个人，
rán hòu ràng tā men huí jiā
然后让他们回家。

rì zi yī tiān tiān guò qu le zhì zhě shǐ zhōng méi yǒu lái jiǎn chá zhè xiē
日子一天天过去了，智者始终没有来检查这些
rén de zhú tái dà duō shù rén yǐ jīng bù zài cā shì zì jǐ de zhú tái rèn píng
人的烛台。大多数人已经不再擦拭自己的烛台，任凭
shàng miàn luò mǎn le huī chén
上面落满了灰尘。

yǒu yī tiān zhì zhě tū rán lái le āi gè jiǎn chá tā men de zhú tái
有一天，智者突然来了，挨个检查他们的烛台，
jié guǒ fā xiàn zhǐ yǒu yī gè rén de zhú tái guāng liàng rú xīn nà rén jiào ā
结果发现，只有一个人的烛台光亮如新。那人叫阿
mù kàn shang qu hái yǒu diǎn yú bèn yuán lái ā mù shǐ zhōng méi yǒu wàng jì zhì
木，看上去还有点愚笨。原来阿木始终没有忘记智
zhě de huà tiān tiān jiān chí cā shì zhú tái ràng tā bǎo chí guāng liàng shí jiān
者的话，天天坚持擦拭烛台，让它保持光亮，时间
jiǔ le shèn zhì chéng le yī gè xí guàn
久了，甚至成了一个习惯。

zì rán ā mù zuì zhōng chéng le zhì zhě de xué shēng yǒu jī huì shí
自然，阿木最终成了智者的学生，有机会实
xiàn zì jǐ de lǐ xiǎng
现自己的理想。

勤学魔法棒

学习不是一天一时的事情，而是需要多年如一日地坚持下去，不仅需要兴趣，还要沉下心来坚持。我们在学习中会遇到一些难题，此时不要轻易放弃，坚持一下，再想想，再思考一下，往往就会了。坚持，是一种良好的习惯，也是一种智慧。

骄傲的麋鹿

从前，在一个美丽的小树林里，住着一群麋鹿。它们在一起和睦地生活着。但每年春天，这种和睦就要被打破，因为它们要通过比武选出新的鹿王。每当此时，整个树林里便充满了紧张的气氛，那些有望成为鹿王的、强壮的麋鹿总是不断锻炼身体，并时常向其他麋鹿发起挑战，以提高自己的战斗力和丰富自己的作战经验。

在这群麋鹿中，有一头名叫大壮。它的身体非常强壮，而且作战经验丰富，从来没有在争斗中失败过，已经两年蝉联鹿王。它在当选为鹿王之前，很努力地锻炼。当上鹿王第二年，它的锻炼已不是那么勤奋。

到了今年，它更是懒得锻炼了。每天睡足之后，它就到小河边散散步，找点吃的，然后躺在树下乘凉。就算是别的麋鹿向它挑战，它也从不应战，而且还轻蔑地说：“不过是我的手下败将，还敢跟我比试！躲一边去！别打扰我休息。”

时间一天天地过去了，比武的日期到了。作为上届的鹿王，大壮在最后走上比武台，与其他麋鹿中最后的胜利者比武。大壮信心十足地摆开了架势，然而一交手，它就感到力不从心了。因为它

zhěng tiān chī hē wán lè cóng bù duàn liàn shēn tǐ biàn
整天吃喝玩乐，从不锻炼，身体变
de pàng le hěn duō yě bèn zhòng le hěn duō méi
得胖了很多，也笨重了很多。没
duō jiǔ dà zhuàng biàn lèi de qì chuǎn xū xū dà
多久，大壮便累得气喘吁吁，大
hàn lín lí ér duì shǒu yī rán tǐ lì chōng pèi dòng
汗淋漓。而对手依然体力充沛，动
zuò líng mǐn
作灵敏。

shèng fù yǐ fēn dāng dà jiā wéi zhe xīn de lù
胜负已分。当大家围着新的鹿
wáng huān hū qìng hè de shí hou
王欢呼庆贺的时候，
dà zhuàng chuí tóu sàng qì de zǒu dào
大壮垂头丧气地走到
le méi rén de dì fang bù jiě de zì yán zì yǔ wǒ kě shì céng jīng de
了没人的地方，不解地自言自语：“我可是曾经的
cháng shèng jiāng jūn ya wèi shén me jīn nián huì bèi dǎ bài le ne
‘常胜将军’呀，为什么今年会被打败了呢？”

勤学魔法棒

大壮不知道自己为什么会被打败，也不知道是哪里出了问题，你知道吗？对，是因为它太骄傲了，自以为了不起，所以就不再刻苦锻炼了。要知道“谦虚使人进步，骄傲使人落后”，小朋友们，在学习中，千万不要骄傲啊！

精力集中的牛顿

大科学家之所以伟大，是因为他们有伟大的发现，而他们的伟大发现都与“精力集中”有关。

微积分、光的色散现象和万有引力定律，这是牛顿的三大发现。这三大发现是牛顿为了躲避黑死病，在乡下休假时经过18个月的思索得出来的。当时，他才23岁。很多人认为牛顿是天才，其实他的成功更离不开他的勤奋和专心。牛顿在工作的时候，会特别专心地思考。

有一天早上，他在专心思考一个问题。给他做

fàn de pú rén yīn wèi yǒu shì yào lí kāi yī xià lín zǒu shí gào su niú dùn ràng
饭的仆人因为有事要离开一下，临走时告诉牛顿，让
tā zì jǐ zhǔ jǐ gè jī dàn dàng zǎo cān niú dùn dā ying le guò le yī huì
他自己煮几个鸡蛋当早餐。牛顿答应了。过了一会
er pú rén huí lai le wèn niú dùn zhǔ jī dàn chī le méi yǒu niú dùn shuō
儿，仆人回来了，问牛顿煮鸡蛋吃了没有。牛顿说
yǐ jīng zhǔ hǎo le pú rén tīng le gǎn jǐn dǎ kāi guō dǎ suàn bǎ zhǔ hǎo de
已经煮好了。仆人听了，赶紧打开锅，打算把煮好的
jī dàn qǔ chu lai gěi niú dùn chī kě shì guō gài xiān kai le nǎ li yǒu shén
鸡蛋取出来给牛顿吃。可是，锅盖掀开了，哪里有什
me jī dàn ya guō li zhǔ de shì yī kuài huái biǎo yuán lái niú dùn zhǐ gù zhuān
么鸡蛋呀，锅里煮的是一块怀表！原来牛顿只顾专
xīn sī kǎo wù bǎ huái biǎo dàng jī dàn lái zhǔ le
心思考，误把怀表当鸡蛋来煮了。

hái yǒu yī cì niú dùn de yī
还有一次，牛顿的一
wèi péng you lái kàn tā dāng shí niú
位朋友来看他。当时牛
dùn zhèng zài shí yàn shì li máng zhe
顿正在实验室里忙着

做实验，便让朋友先在外面等一下。没想到，牛顿很快就忘了这件事。他的朋友在外面一等就是几个小时，等得肚子都饿了，看到桌子上有准备待客的烤鸡，便把烤鸡吃了。接着等了一会儿，牛顿还是没有出现，于是朋友只好离开了。

又过了几个小时，实验完成了一个阶段，牛顿才觉得饿了，想起来外面桌子上有烤鸡，便打算去吃。可是当他看到盘子里只剩下鸡骨头的时候，恍然大悟地对助手说：“哈哈，原来我已经吃过饭了呀，我还以为没吃呢。”扭头又回实验室忙去了。

勤学魔法棒

小朋友都明白：做事不能三心二意，学习更不能三心二意！在学习时，只有集中精力才能取得好的效果，一定要避免“边学习边做事情”的情况。那些取得重大成就的科学家都会集中精力学习、工作，我们就应该向他们学习。

开心的小草

yī tiān zǎo shang yuán dīng zǒu jin
一天早上，园丁走进
huā yuán li tā qí guài de fā xiàn qián
花园里。他奇怪地发现，前
liǎng tiān hái shēng jī bó bó de huā yuán hū rán biàn de shuāi
两天还生机勃勃的花园忽然变得衰
bài le huā cǎo shù mù dōu kū wěi huò shì diāo xiè le
败了，花草树木都枯萎或是凋谢了。

yuán dīng fēi cháng chī jīng biàn wèn yī kē zhòng
园丁非常吃惊，便问一棵种
zài huā yuán mén kǒu de xiàng shù nǐ men dào dǐ zěn
在花园门口的橡树："你们到底怎
me le fā shēng le shén me shì
么了，发生了什么事？"

xiàng shù tàn le kǒu qì shuō
橡树叹了口气，说：
bù guǎn wǒ zěn me nǔ
"不管我怎么努

lì shēngzhǎng dōu wú fǎ xiàng pú tao téng
力生长，都无法像葡萄藤

nà yàng jiē chu tián měi de guǒ shí
那样结出甜美的果实。”

yuán dīng kàn le kàn pá zài jià shang de
园丁看了看爬在架上的

pú tao téng wèn dào nǐ kàn qi lai xiàng shì kuài yào kū de yàng zi shén me
葡萄藤，问道：“你看起来像是快要哭的样子，什么

shì ràng nǐ rú cǐ shāng xīn
事让你如此伤心？”

lí kāi jià zi wǒ měi tiān zhǐ néng pú fú zài dì shang pú tao téng yōu
“离开架子我每天只能匍匐在地上，”葡萄藤幽

yuàn de shuō bù guǎn zěn me yòng lì dōu bù néng zhí lì gèng bù néng xiàng
怨地说，“不管怎么用力，都不能直立，更不能像

qiān niú huā yī yàng zhàn kai měi lì de huā duǒ
牵牛花一样 绽开美丽的花朵。”

qiān niú huā tīng hòu què kǔ nǎo de shuō rú guǒ wǒ kāi de huā néng xiàng
牵牛花听后却苦恼地说：“如果我开的花能像

zǐ dīng xiāng nà yàng fēn fāng wǒ jiù mǎn zú le
紫丁香那样芬芳，我就满足了。”

shù mù men hé huā ér men dōu yīn wèi bù rú bié rén ér kǔ nǎo zhe méi yǒu
树木们和花儿们都因为不如别人而苦恼着，没有

yī sī huó lì yuán dīng bù zhī dào gāi zěn me ān wèi tā men biàn zǒu dào páng
一丝活力。园丁不知道该怎么安慰它们，便走到旁

biān qù le hū rán tā kàn dào qiáng jiǎo yǒu yī kē xiǎo cǎo suī rán bù qǐ
边去了。忽然，他看到墙角有一棵小草，虽然不起

yǎn zhǎng de què shí fēn qīng cuì kě ài
眼，长得却十分青翠可爱。

园丁奇怪地问小草："花园里其他比你出色的植物都非常沮丧，你为什么还那么有活力？"

小草回答："虽然我在花园里不算重要，也很不起眼，但我一点也不灰心失望，因为我知道，你需要一棵橡树、一棵松树，或是葡萄藤、桃树、牵牛花和紫丁香，来装点花园，所以你才会栽种它们；同样你也需要我这棵不起眼的小草，所以才会把我种到这里。只要你需要我，我就会心满意足地去吸收阳光雨露，使自己快点长大。"

勤学魔法棒

小草比橡树、松树、葡萄藤都快乐，因为它相信自己一定会有用武之地。人同样如此，每个人都有优点和缺点，但不完美并不妨碍个人积极进取和存在的意义。只要自己能为他人带来快乐，那么，自己就过得很有意义。学习中，不要盲目自卑，要充分看到自己的长处，并付诸努力。

看到了什么

cóng qián yǒu yī gè fù qīn dài zhe tā de sān gè ér zi qù dǎ yě tù
从前，有一个父亲带着他的三个儿子去打野兔。
dào le dà cǎo yuán shang yī qiè zhǔn bèi hǎo zhī hòu sān gè ér zi biàn kāi shǐ
到了大草原上，一切准备好之后，三个儿子便开始
le bǔ liè xíng dòng fù qīn zé zài yī páng tì tā men jì shù
了捕猎行动，父亲则在一旁替他们计数。

bàn tiān xià lai dà ér zi dǎ le bàn zhī yě
半天下来，大儿子打了“半只”野
tù yīn wèi tā zhǐ dǎ zhòng le nà zhī yě tù de ěr
兔，因为他只打中了那只野兔的耳
duo hái ràng tā pǎo diào le miǎn
朵，还让它跑掉了，勉
qiǎng suàn shì bàn zhī ba èr ér zi
强算是半只吧；二儿子
dǎ le yī zhī yě tù
打了一只野兔；
sān ér zi dǎ de
三儿子打的

yě tù zuì duō yǒu shí èr zhī ne tā jī hū shì dàn wú xū fā bǎi fā bǎi zhòng
野兔最多，有十二只呢，他几乎是弹无虚发，百发百中。

kàn dào zhè yàng de jié guǒ fù qīn xiàng sān gè ér zi tí le yī gè wèn
看到这样的结果，父亲向三个儿子提了一个问
tí nǐ men zài dǎ liè de shí hou fēn bié kàn dào le shén me
题：“你们在打猎的时候，分别看到了什么？”

dà ér zi huí dá shuō wǒ kàn dào le wǒ men shǒu li de liè qiāng yī
大儿子回答说：“我看到了我们手里的猎枪，一
wàng wú jì de dà cǎo yuán hái yǒu zài cǎo yuán shang bēn pǎo de yě tù fù
望无际的大草原，还有在草原上奔跑的野兔。”父
qīn yáo le yáo tóu
亲摇了摇头。

èr ér zi jiē zhe shuō wǒ kàn dào le nǐ men liè qiāng yě tù
二儿子接着说：“我看到了你们、猎枪、野兔，
hái yǒu cāng máng de dà cǎo yuán fù qīn yòu yáo le yáo tóu shuō nǐ men
还有苍茫的大草原。”父亲又摇了摇头，说：“你们
liǎng gè rén kàn dào de dōu bù duì
两个人看到的都不对。”

zuì hòu sān ér zi huí dá shuō wǒ zhǐ kàn dào le yě tù fù
最后，三儿子回答说：“我只看到了野兔！”父
qīn mǎn yì de diǎn le diǎn tóu shuō zhè jiù duì le
亲满意地点了点头，说：“这就对了。”

勤学魔法棒

故事中，三儿子之所以能够百发百中，主要是因为他专心致志、心无旁骛。在学习中同样需要专心致志，聚精会神，一心一意，而不能三心二意。一副漫不经心的态度，不光学习不会有好成绩，做别的事情也很难成功。

课间十分钟

“丁零零！丁零零！”下课铃声响了，老师收拾好东西，走出了教室。刚才还十分安静的教室顿时变得热闹起来，有的同学立即跑出了教室，疯闹起来；有的同学就在教室中高谈阔论起来；还有几位同学立即拿出作业本，开始抓紧时间写刚才老师布置的作业……

王东没有像其他人一样，或是忙着玩闹，或是忙着写作业，而是将下节课要用到的课本、笔记本、

liàn xí běn hé gè zhǒngwén jù bǎi fàng
练习本和各种文具摆放
zài kè zhuō shang huò chōu tì li shì
在课桌上或抽屉里适
dàng de wèi zhì wángdōngshuō zhè
当的位置。王东说："这
yàngzuò yī xiē shǒugōnghuódòng kě
样做一些手工活动，可
yǐ zhuǎn huàn yī xià dà nǎo sī wéi
以转换一下大脑思维，
shàng xià yī jié kè shí néngxùn sù jìn rù
上下一节课时能迅速进入
xué xí zhuàng tài hái néng bì miǎn lín shí
学习状态，还能避免临时
zhǎo dōng xi ér làng fèi shí jiān yǐngxiǎngtīng kè
找东西而浪费时间、影响听课。"

jiē zhe tā zǒu chu jiào shì mànmàn de sàn zhe bù hū xī zhe wài miàn
接着，他走出教室，慢慢地散着步，呼吸着外面
de xīn xiān kōng qì bìngzuò yī xiē jiǎn dān de huódòng qián hòu yáohuàngyáohuàng
的新鲜空气，并做一些简单的活动：前后摇晃摇晃
shēn tǐ zuò jǐ gè cè shēnzhuǎn tǐ děng wángdōngshuō zhèyàng kě yǐ huó
身体，做几个侧身转体等。王东说："这样可以活
dòngquán shēn jī ròu cù jìn xuè yè xúnhuán yǒu lì yú shàng kè shí bǎo chí
动全身肌肉，促进血液循环，有利于上课时保持
chōng pèi de jīng lì bìng jí zhōngjīngshen
充沛的精力，并集中精神。"

zuì hòu wángdōngyòuyòng le jǐ fēn zhōng de shí jiān zhù shì zhe yuǎn chù
最后，王东又用了几分钟的时间，注视着远处

de lǜ shù tā shuō zhè kě yǐ fàng sōng yǎn bù jī ròu néng yǒu xiào yù fáng
的绿树。他说：“这可以放松眼部肌肉，能有效预防
jìn shì
近视。”

dīng líng líng dīng líng líng fēn zhōng hěn kuài guò qu le shàng
“丁零零！丁零零！”10分钟很快过去了，上
kè líng shēng yòu xiǎng le dà jiā lì jí zài kè zhuō qián zuò hǎo le nà xiē fēng
课铃声又响了，大家立即在课桌前坐好了。那些疯
wán fēng nào de tóng xué hái zài chuǎn zhe cū qì hǎo jiǔ bù néng píng jìng xia lai
玩疯闹的同学还在喘着粗气，好久不能平静下来，
gēn běn méi tīng jiàn lǎo shī zài jiǎng shén me nà xiē gāo tán kuò lùn de tóng xué nǎo
根本没听见老师在讲什么；那些高谈阔论的同学，脑
zi li hái zài xiǎng zhe gāng cái tǎo lùn de wèn tí duì lǎo shī de huà shì zuǒ ěr
子里还在想着刚才讨论的问题，对老师的话是左耳
duo jìn yòu ěr duo chū nà jǐ gè zhuā jǐn shí jiān xiě zuò yè de tóng xué yóu
朵进、右耳朵出；那几个抓紧时间写作业的同学，由
yú gāng cái dà nǎo méi yǒu dé dào xiū xi sì hū yǒu xiē hūn hūn chén chén de sī
于刚才大脑没有得到休息，似乎有些昏昏沉沉的，思
xiǎng kāi qi le xiǎo chāi ér wáng dōng què qì dìng shén xián jīng lì chōng
想开起了“小差”……而王东却气定神闲，精力充
pèi tīng de fēi cháng rèn zhēn
沛，听得非常认真。

勤学魔法棒

小朋友，你在课间10分钟是怎么做的？别看课间只有10分钟的时间，可能连玩都不够玩的，但它对于下节课的影响却非常大。看到上面同学们的几种做法，你明白该选择哪种了吧？

孔子拜师

kǒng zǐ shì wǒ guó gǔ dài zhù míng de sī xiǎng jiā hé jiào yù
孔子是我国古代著名的思想家和教育

jiā xué shí fēi cháng yuān bó tā céng jīng zhōu yóu liè guó
家，学识非常渊博。他曾经周游列国，

yǐ biàn tuī guǎng zì jǐ de zhì guó zhǔ zhāng tóng
以便推广自己的治国主张，同

shí yě kāi kuò zì jǐ de yǎn jiè
时也开阔自己的眼界。

zhè tiān kǒng zǐ zhèng zài gǎn
这天，孔子正在赶

lù shí bèi yī gè jiào xiàng tuó
路时，被一个叫项橐

de hái zi lán zhù le
的孩子拦住了。

zhǐ tīng zhè ge hái zi
只听这个孩子

shuō tīng shuō nín
说：“听说您

shì gè yǒu xué wen de rén nà wǒ lái wèn nín shén me shuǐ méi yǒu yú shén me
是个有学问的人，那我来问您，什么水没有鱼，什么
huǒ méi yǒu yān shén me shù méi yǒu yè kǒng zǐ xiǎng le xiǎng shuō hái
火没有烟，什么树没有叶？”孔子想了想说：“孩
zi jiāng hé hú hǎi suǒ yǒu de shuǐ li dōu yǒu yú chái cǎo dēng zhú shén
子，江河湖海，所有的水里都有鱼；柴草灯烛，什
me huǒ dōu yǒu yān suǒ yǒu shù mù méi yǒu yè dōu shì wú fǎ shēng zhǎng de
么火都有烟；所有树木没有叶都是无法生长的。”

méi xiǎng dào xiàng tuó shuō xiān sheng jiǎng de dōu duì dàn shì bù shì wǒ
没想到项橐说：“先生讲得都对，但是不是我
de wèn tí de dá àn jǐng shuǐ li jiù méi yǒu yú yíng huǒ biàn méi yǒu yān kū
的问题的答案。井水里就没有鱼，萤火便没有烟，枯
shù yě méi yǒu yè
树也没有叶。”

kǒng zǐ yī tīng fēi cháng jīng yà rèn wéi xiàng tuó shuō de hěn yǒu dào lǐ
孔子一听，非常惊讶，认为项橐说得很有道理，
biàn qiān xū de shuō nǐ shuō de hěn duì shì wǒ yǐ qián bù zhī dào xiàn zài
便谦虚地说：“你说得很对，是我以前不知道。现在
nǐ jiāo le wǒ hěn duō zhī shi wǒ yuàn yì bài nǐ wéi shī
你教了我很多知识，我愿意拜你为师。”

勤学魔法棒

像孔子这样的大学问家都愿意拜一个小孩子为师，他可真是谦虚好学。这个故事也告诉我们，知识的海洋是没有边际的，只有虚心好学，才会有更多的收获。

老马识途

guǎnzhòng shì wǒ guó gǔ dài zhù míng de zhèng zhì jiā jūn shì jiā
管仲是我国古代著名的政治家、军事家。

yǒu yī cì tā hé qí huángōng dài lǐng jūn duì zhuī jī táo jin le shā mò de dí rén méi xiǎng dào què mí le lù suī rán pài chu tàn zi qù tàn lù dàn shì réng rán méi yǒu zhǎo dào zǒu chu shā mò de lù dà jiā gè gè jīng huāng shī cuò dōu hài pà
有一次，他和齐桓公带领军队追击逃进了沙漠的敌人，没想到却迷了路，虽然派出探子去探路，但是仍然没有找到走出沙漠的路。大家个个惊慌失措，都害怕

bèi kùn sǐ zài shā mò li
被困死在沙漠里。

guǎn zhòng xiǎng le hǎo jiǔ zhōng yú xiǎng chu le yī gè bàn fǎ jué dìng
管仲想了好久，终于想出了一个办法，决定
shì yi shì tā xià lìng bǎ jūn duì zhōng de nà xiē lǎo mǎ de jiāng shéng jiě kai
试一试。他下令把军队中的那些老马的缰绳解开，
rèn tā men zì yóu xíng dòng rán hòu mìng lìng jūn duì gēn zài zhè xiē lǎo mǎ hòu miàn
任它们自由行动，然后命令军队跟在这些老马后面
zǒu guǒ rán zhè xiē lǎo mǎ men dōu cháo zhe yī gè fāng xiàng qián xíng jūn duì
走。果然，这些老马们都朝着一个方向前行，军队
jiù gēn zài tā men de hòu miàn zhōng yú zǒu chu le shā mò
就跟在他们的后面，终于走出了沙漠。

yuán lái zhè xiē lǎo mǎ jīng yàn fēng fù jì zhù le zǒu guo de lù yī
原来，这些老马经验丰富，记住了走过的路，依
kào běn néng yán zhe lái shí de lù xiàn zǒu le huí qù
靠本能沿着来时的路线走了回去。

勤学魔法棒

动物在很多方面的本能要比人强，只要善于利用，便可以为人类服务。管仲就了解老马识途的本领并利用它解决了难题。学习时也要善于发现，活学活用，开动脑筋，举一反三，不能只是死记硬背，一味照搬。遇到问题时，更不能盲目悲观，消极对待，而应积极开动脑筋，寻找办法。

乐羊子求学

wǒ guó gǔ dài yǒu gè jiào yuèyáng zǐ de rén wài chū qiú xué guò le bù
我国古代有个叫乐羊子的人，外出求学。过了不
jiǔ yīn wèi shòu bu liǎo kǔ xiǎng jiā le yuèyáng zǐ biànzhōng tú huí le jiā
久，因为受不了苦，想家了，乐羊子便中途回了家。
dāng qī zi zhī dào tā wèi shén me huí jiā hòu tàn le kǒu qì ná qi jiǎn dāo
当妻子知道他为什么回家后，叹了口气，拿起剪刀，
kǎ cā kǎ cā jǐ xià jiù bǎ zì jǐ zhī le yī bàn
“咔嚓，咔嚓”几下就把自己织了一半
de bù jiǎnduàn le
的布剪断了。
yuè yáng zǐ wèn qī zi
乐羊子问妻子
wèi shén me bǎ hǎo duānduān de
为什么把好端端的
bù jiǎn duàn le qī zi
布剪断了。妻子
shuō zhè bù shì wǒ
说：“这布是我

yī sī yī xiàn xīn kǔ zhī chu lai de
一丝一线辛苦织出来的，
kě zhǐ yǒu jì xù zhī xia qu cái néng
可只有继续织下去才能
chéng wéi bù pǐ rú guǒ zhōng tú bèi jiǎn
成为布匹，如果中途被剪
duàn biàn chéng bu liǎo wán zhěng de yī pǐ bù
断，便成不了完整的一匹布
le bái bái làng fèi le zhī qián suǒ fù chu de
了，白白浪费了之前所付出的
xīn xuè nǐ de xué xí yě shì zhè ge dào lǐ xū yào màn màn jī lěi jiān chí
心血。你的学习也是这个道理，需要慢慢积累，坚持
bù xiè cái néng chéng gōng a nǐ xiàn zài zhōng tú fàng qì gēn wǒ jiǎn duàn
不懈，才能成功啊！你现在中途放弃，跟我剪断
zhè bù shì yī yàng de kě xī a
这布是一样的可惜啊！”

yuè yáng zǐ tīng le qī zi de huà huǎng rán dà wù zhī dào le qiú xué
乐羊子听了妻子的话，恍然大悟，知道了求学
yào dǒng de jiān chí zhè ge dào lǐ yú shì huí dào qiú xué de dì fang jì xù xué
要懂得坚持这个道理。于是回到求学的地方，继续学
xí le hǎo jǐ nián zuì zhōng qǔ dé le hěn dà de chéng jiù
习了好几年，最终取得了很大的成就。

勤学魔法棒

小朋友，恒心很重要，学习要持之以恒，不可以遇到一点儿困难就半途而废。知识和学问需要长时间的积累，才能有所成就。如果三天打鱼，两天晒网，那样是什么也学不好的。

两个钓鱼者

yī tiān liǎng gè diào yú gāo shǒu yī qǐ zài chí táng biān diào yú méi yòng
一天，两个钓鱼高手一起在池塘边钓鱼，没用
duō cháng shí jiān jiù dōu diào le bù shǎo yú
多长时间就都钓了不少鱼。

hū rán chí táng biān lái le shí duō gè yóu kè tā men kàn dào liǎng wèi diào
忽然，池塘边来了十多个游客，他们看到两位钓
yú gāo shǒu hěn qīng sōng de jiù bǎ yú diào le shàng lái dōu yǒu xiē xiàn mù yú
鱼高手很轻松地就把鱼钓了上来，都有些羡慕。于
shì qí zhōng de jǐ gè rén dào fù jìn mǎi le diào yú gān yě zuò dào chí táng
是，其中的几个人到附近买了钓鱼竿，也坐到池塘
biān diào qǐ yú lai dàn zhè xiē rén dōu bù shàn cháng diào yú
边钓起鱼来。但这些人都不擅长钓鱼，
diào le hǎo jiǔ yě háo wú shōu huò gè
钓了好久也毫无收获，个
gè dōu chuí tóu sàng qì qi lai
个都垂头丧气起来。

nà liǎng wèi diào yú
那两位钓鱼

gāo shǒu gè xìng dà bù xiāng tóng yī gè xìng gé gū pì bù guǎn zhōu wéi fā shēng
高手个性大不相同：一个性格孤僻，不管周围发生
le shén me dōu dú zì de xiǎng shòu zhe diào yú de lè qù ér lìng yī wèi gāo
了什么，都独自地享受着钓鱼的乐趣；而另一位高
shǒu què shì gè rè xīn háo shuǎng ài jiāo péng you de rén zhè wèi rè xīn de
手却是个热心、豪爽、爱交朋友的人。这位热心的
diào yú gāo shǒu kàn dào yóu kè men jǔ sàng de yàng zi biàn zǒu guo qu shuō zhè
钓鱼高手看到游客们沮丧的样子，便走过去说：“这
yàng ba wǒ lái jiāo nǐ men diào yú bǎ wǒ diào yú de jué qiào jiāo gěi nǐ men
样吧，我来教你们钓鱼，把我钓鱼的诀窍教给你们，
jiù dāng wǒ jiāo le nǐ men zhè jǐ gè péng you
就当我交了你们这几个朋友。”

yī tiān xià lai zhè wèi rè xīn de diào yú gāo shǒu bǎ suǒ yǒu shí jiān dōu
一天下来，这位热心的钓鱼高手把所有时间都
yòng zài jiāo bié rén diào yú shang tóng shí yǔ tā men tán tiān shuō dì liáo de shí
用在教别人钓鱼上，同时与他们谈天说地，聊得十
fēn jìn xìng tīng zhe yóu kè zuǒ yī shēng lǎo
分尽兴。听着游客左一声“老
shī yòu yī shēng lǎo shī de jiào
师”、右一声“老师”地叫
tā tā gǎn dào fēi cháng
他，他感到非常

开心。不过他钓到的鱼的数量却几乎没有增加。

而那位性格孤僻的钓鱼高手，始终在独自一人钓鱼，显得有些孤单寂寞。但是一天下来，他钓了满满一大筐的鱼，收获要比同伴多很多。

天快黑了，两位钓鱼高手一起往回走去。热心的钓鱼者对孤僻的钓鱼者说："你看我今天玩得多开心，你一个人多孤单呀！明天你和我一起教大家钓鱼吧。"

孤僻的钓鱼者说："教大家钓鱼固然开心热闹，但我更喜欢独自垂钓的安静和愉悦，也更喜欢享受我的钓鱼成果。"

勤学魔法棒

如同钓鱼一样，有时，学习也需要孤独和安静。小朋友，当你在学习时，看着其他同伴在一起玩闹，你羡慕吗？当隔壁响起动画片的声音时，你想走过去看吗？如果你想在学习上取得优异的成绩，就得学会抵挡住这些诱惑，享受安静带来的愉悦。当然，这里并不是提倡不要帮助别人。

两只狮子

fēi zhōu de yī jiā dòng wù yuán jué dìng jiāng yuán nèi de liǎng zhī jí jiāng chéng
非洲的一家动物园决定将园内的两只即将成
nián de shī zi fàng dào yě wài qù dàn zài fàng zǒu tā men zhī qián guǎn lǐ yuán
年的狮子放到野外去。但在放走它们之前，管理员
xiān wèn le tā men de yì jiàn qǐng nǐ men xiǎng qīng
先问了它们的意见："请你们想清
chu shì yuàn yì liú zài dòng wù yuán nèi shēng huó
楚，是愿意留在动物园内生活，
hái shi yuàn yì qù yě wài shēng cún
还是愿意去野外生存？"

liǎng zhī shī zi kāi shǐ rèn zhēn de
两只狮子开始认真地
sī kǎo qi lai
思考起来。

qí zhōng yī zhī
其中一只
shī zi xiǎng zài dòng
狮子想：在动

wù yuán nèi shēnghuó ān yì kě yǐ bù yòng wèi shí wù fā chóu bìng le hái
物园内，生活安逸，可以不用为食物发愁，病了还
yǒu yī shēng ér zài yě wài jiù yào yǔ qí tā dòng wù jìn xíng cán kù de jìng
有医生；而在野外，就要与其他动物进行残酷的竞
zhēng kě néng huì bǔ zhuō bu dào shí wù shèn zhì kě néng huì shēngbìng xiǎng
争，可能会捕捉不到食物，甚至可能会生病。想
dàozhè li tā lì jí duì guǎn lǐ yuánshuō wǒ yuàn yì liú zài dòng wù yuán li
到这里，它立即对管理员说：“我愿意留在动物园里！”

yú shì guǎn lǐ yuán dǎ kāi shī yuán de tiě mén zhè zhī shī zi màn yōu
于是，管理员打开狮园的铁门，这只狮子慢悠
yōu de zǒu jin le shī yuán
悠地走进了狮园。

lìng yī zhī shī zi xiǎng yě xǔ dào yě wài shēngcún huì hěn jiān kǔ dàn
另一只狮子想：也许到野外生存会很艰苦，但
shì wǒ zhōng yú nénggòu zǒu jin guǎngkuò de dà cǎoyuán le zhōng yú dé dào le
是我终于能够走进广阔的大草原了，终于得到了
qī pàn yǐ jiǔ de zì yóu yú shì tā háo bù yóu yí de chōng jin le cāng máng
期盼已久的自由！于是，它毫不犹疑地冲进了苍茫
de dà cǎoyuán
的大草原。

sān nián zhī hòu zài yě wài shēngcún de shī zi yǐ zhǎngchéng yī zhī qiáng
三年之后，在野外生存的狮子已长成一只强
zhuàngjiàn měi de xióng shī tā húnshēndōu shì lì liàng xíngdòngmǐn jié kàn
壮健美的雄狮。它浑身都是力量，行动敏捷，看
qi lai chōngmǎn le zì xìn hé huó lì zài yě wài shēnghuó de sān nián tā tōng
起来充满了自信和活力。在野外生活的三年，它通
guò nǔ lì jiàn lì le zì jǐ de shī qún bìngchéngwéi shī qúnzhōng de wángzhě
过努力，建立了自己的狮群，并成为狮群中的王者。

ér liú zài dòng wù yuán de shī zi suī rán cóng bù xū yào wèi shēng huó fā chóu
而留在动物园的狮子虽然从不需要为生活发愁，
què kàn qi lai bìng yān yān de háo wú jīng shen tā xíng dòng chí huǎn jiù xiàng
却看起来病恹恹的，毫无精神。它行动迟缓，就像
shì yī gè chí mù de lǎo rén yīn wèi chī de tài hǎo yòu quē fá duàn liàn tā
是一个迟暮的老人。因为吃得太好，又缺乏锻炼，它
de shēn shang duī mǎn le féi ròu zhī fáng gān xīn zàng bìng gāo xuè yā děng jí
的身上堆满了肥肉，脂肪肝、心脏病、高血压等疾
bìng tǒng tǒng zhǎo shang le tā suī rán yǒu yī shēng de jīng xīn zhào gù dàn hěn
病统统找上了它。虽然有医生的精心照顾，但很
míng xiǎn tā huó bu liǎo duō jiǔ le
明显，它活不了多久了。

勤学魔法棒

享受，虽然舒适，却会荒废能力，消磨意志；竞争，虽然艰苦，却检验了自己，也有利于自身的提高。小朋友，学习是艰苦的，必须要付出很大的努力，战胜各种挑战才能有所成就。你愿意接受挑战，勇敢地加入到竞争中去，还是贪图享受呢？相信你会做出正确的选择的。

“临阵磨枪”的小涛

mā hái yǒu tiān jiù yào qī zhōng kǎo shì le yī huí dào jiā
“妈，还有 7 天就要期中考试了！”一回到家

zhōng xiǎo tāo jiù dà hū xiǎo jiào qi lai kuài diǎn gěi wǒ zuò diǎn chī de chī
中，小涛就大呼小叫起来，“快点给我做点吃的，吃

wán fàn wǒ yào mǎ shàng kāi shǐ fù xí le hái yǒu hǎo duō dōng xi bù huì ne
完饭我要马上开始复习了，还有好多东西不会呢！”

píng shí jiào nǐ fù xí nǐ zǒng shì shuō méi shí jiān zhè xià zhī dào zháo
“平时叫你复习，你总是说没时间，这下知道着

jí le mā ma yī biān shǔ luo zhe yī biān kāi shǐ zhǔn bèi wǎn fàn
急了！”妈妈一边数落着，一边开始准备晚饭。

wǎn fàn hòu xiǎo tāo pǎo jin zì jǐ de fáng jiān ná chu yǔ wén kè běn kāi
晚饭后，小涛跑进自己的房间，拿出语文课本，开

shǐ bèi qi lai zǐ yuē xué ér shí xí zhī bù yì yuè hū
始背起来：“……子曰：‘学而时习之，不亦说乎？’……”

gāng bèi dào zhè li bà ba jiù zǒu le jìn lái wèn dào xiǎo tāo
刚背到这里，爸爸就走了进来，问道：“小涛，

nǐ bèi de xué ér shí xí zhī bù yì yuè hū shì shén me yì si
你背的‘学而时习之，不亦说乎？’是什么意思？”

tā de yì si shì shuō xué xí
“它的意思是说：学习

hòu zài yòng yī dìng de shí jiān qù wēn xí tā
后再用一定的时间去温习它，

bù yě hěn gāo xìng ma
不也很高兴吗？

zài kǒng zǐ kàn lai
在孔子看来，

fù xí shì jiàn jì
复习是件既

néng lǐ jiě yǐ jīng xué guo
能理解已经学过

de zhī shi yòu néng zēng jìn xīn
的知识，又能增进新

zhī shi de kuài lè de shì qing
知识的快乐的事情。”

xiǎo tāo dé yì de huí dá dào
小涛得意地回答道。

ō bà ba lā cháng le shēng yīn yuán lái nǐ yě míng bai
“哦……”爸爸拉长了声音，“原来你也明白

ya nà wèi shén me nǐ zài píng shí cóng lái bù qù fù xí yǐ qián xué guo de zhī
呀。那为什么你在平时从来不去复习以前学过的知

shi ne
识呢？”

xiǎo tāo tū rán míng bai le bà ba wèn nà jù huà de yòng yì hóng zhe liǎn
小涛突然明白了爸爸问那句话的用意，红着脸

shuō lǎo shī dāng shí jiǎng de zhī shi wǒ dōu huì yòng bu zháo fù xí
说：“老师当时讲的知识我都会，用不着复习。”

dàn nǐ xiàn zài fā xiàn hěn duō zhī shi dōu yǐ jīng wàng le bù huì le
“但你现在发现很多知识都已经忘了，不会了！

xiàng nǐ zhè yàng měi cì wèi le yìng fu kǎo shì gǎo lín zhèn mó qiāng tū jī xué
像你这样每次为了应付考试，搞临阵磨枪，突击学

xí suī rán huì zài kǎo shì zhōng qǐ dào yī diǎn xiào guǒ dàn jì de kuài wàng de
习，虽然会在考试中起到一点效果，但记得快忘得

yě kuài jiù xiàng gǒu xióng bāi bàng zi suī rán bāi de
也快，就像狗熊掰棒子，虽然掰得

hěn duō dào zuì hòu què suǒ shèng wú jǐ bǐ jiào kē
很多，到最后却所剩无几。比较科

xué de zuò fǎ shì duì yú jī chǔ xìng de bǐ
学的做法是：对于基础性的、比

jiào zhòng yào de zhī shi yīng gāi shì shí ān pái fù
较重要的知识，应该适时安排复

xí zhēng qǔ zǎo rì róng huì guàn tōng
习，争取早日融会贯通。”

xiǎo tāo ruò yǒu suǒ sī de diǎn le diǎn tóu
小涛若有所思地点了点头。

勤学魔法棒

孔子是位伟大的教育家，他说的话是很有道理的，小朋友应该认真听取，学完新的知识后，要安排时间去复习，这样才能记得牢固，将基础打得更扎实，对于学习新知识也是有好处的。

刘克的“头悬梁”试验

最近，刘克受了点“刺激”，因为妈妈自从去了一趟表姨家，回来后就一个劲儿地夸表姨家的小表姐学习是如何勤奋，学习成绩又是如何好，然后反过来又说刘克：“整天就知道玩儿，从来不想多学习点，一到晚上就看电视、玩游戏，要不然就睡觉。而你的小表姐，经常学到很晚。”

刘克很不服气：“哼！我也能！从今晚开始我就努力学习！”

当天晚上，刘克就开始了勤奋学习。但是，到

le diǎn bàn píng shí shàng chuáng shuì jiào de shí jiān tā biàn rěn bu zhù dǎ qǐ
了9点半平时上床睡觉的时间，他便忍不住打起

kē shuì lai hái chà diǎn pā zài zhuō zi shang shuì zháo le mā ma jiàn le gù
瞌睡来，还差点趴在桌子上睡着了。妈妈见了，故

yì cì jī tā shuō jiù nǐ hái xiǎng xué nǐ xiǎo biǎo jiě
意刺激他说：“就你，还想学你小表姐？

suàn le hái shi shuì jiào qù ba
算了，还是睡觉去吧！”

yī tīng zhè huà liú kè gèng xiǎng zhèng míng zì
一听这话，刘克更想证明自

jǐ le kě shì zì jǐ lǎo fàn kùn gāi zěn me bàn ne hū rán tā
己了。可是，自己老犯困，该怎么办呢？忽然他

xiǎng qi le tóu xuán liáng zhuī cì gǔ de gù shi yú shì xiǎng
想起了“头悬梁，锥刺股”的故事，于是想：

zhuī cì gǔ yòng zhuī zi cì zì jǐ de dà tuǐ zhè tài téng le
锥刺股，用锥子刺自己的大腿，这太疼了，

hái shi yòng tóu xuán liáng ba
还是用“头悬梁”吧。

yú shì tā lì jí zhǎo lai yī gēn shéng zi yī
于是，他立即找来一根绳子，一

duān jì zhù zì jǐ de yī lǚ tóu fa
端系住自己的一缕头发，

lìng yī duān guà zài tiān huā
另一端挂在天花

bǎn de diào dēng shang zhè
板的吊灯上。这

bàn fǎ guǒ rán guǎn yòng měi dāng tā dǎ kē
办法果然管用，每当他打瞌

shuì shí zhǐ yào yī dī tóu tóu pí jiù huì bèi shéng zi zhuài de shēng téng shǐ
睡时，只要一低头，头皮就会被绳子拽得生疼，使
tā yī xià zi qīng xǐng guo lai dàng wǎn tā yī zhí xué dào diǎn cái qù shuì jiào
他一下子清醒过来。当晚，他一直学到12点才去睡觉。

dì èr tiān zǎo shang tā mí mí hú hú de bèi mā ma lā le qǐ lái yòu
第二天早上，他迷迷糊糊地被妈妈拉了起来，又
mí mí hú hú de chī le diǎn dōng xi biàn bèi mā ma sòng qu le xué xiào dāng
迷迷糊糊地吃了点东西，便被妈妈送去了学校。当
tā zuò zài jiào shì li shàng kè de shí hou hái shi mí mí hú hú de lǎo shī
他坐在教室里上课的时候，还是迷迷糊糊的，老师
jiǎng de shén me gēn běn yī diǎn yě méi tīng jin qu zhè yī tiān tā jī hū dōu
讲的什么，根本一点也没听进去。这一天他几乎都
shì zài mí mí hú hú de zhuàng tài zhōng hái yǒu hǎo jǐ cì dōu zài kè shang shuì
是在迷迷糊糊的状态中，还有好几次都在课上睡
zháo le
着了。

huí dào jiā hòu yī chī wán wǎn fàn tā jiù lì jí shàng chuáng shuì jiào le
回到家后，一吃完晚饭，他就立即上床睡觉了。

jié guǒ liú kè yīn wèi wǎn shang duō xué le jǐ gè xiǎo shí fǎn ér làng
结果，刘克因为晚上多学了几个小时，反而浪
fèi le yī zhěng tiān de shí jiān
费了一整天的时间。

勤学魔法棒

古人那种“头悬梁”自虐式的学习，并不适合小学生，因为如果睡眠不足不但会影响身体发育，也会影响智力发展。小朋友应该养成自己的学习习惯，提高学习效率，当学则刻苦学，当睡则安心睡。

鲁迅嚼辣椒

zhù míng wén xué jiā lǔ xùn xiǎo shí hou xué xí fēi
著名文学家鲁迅小时候学习非

cháng kè kǔ suì shí tā céng zài zhè jiāng shào
常刻苦。12岁时，他曾在浙江绍

xīng yī suǒ zhù míng de sī shú sān wèi shū wū qiú
兴一所著名的私塾——三味书屋求

xué nà shí tā jiù zài zì jǐ shū zhuō de yòu xià fāng
学，那时他就在自己书桌的右下方，

yòng xiǎo dāo kè le gè zǎo zì tí xǐng
用小刀刻了个“早”字，提醒

zì jǐ yào zhuā jǐn shí jiān fā fèn dú shū
自己要抓紧时间，发奋读书。

suì nà nián lǔ xùn kǎo rù
18岁那年，鲁迅考入

wèi yú nán jīng de jiāng nán shuǐ shī xué táng
位于南京的江南水师学堂。

dì yī xué qī tā jiù qǔ dé le fēi
第一学期，他就取得了非

常优异的成绩，学校奖给他一枚金质奖章。

拿到这枚金灿灿的奖章后，鲁迅立即跑到南京鼓楼的街头把它卖掉了，然后用换来的钱买了几本书。令人想不到的是，他还特地去买了一串火红的辣椒。

原来，南京虽然地处江南，但冬季的夜晚还是非常寒冷的。如果在这样的夜晚读书，是非常难熬的。但鲁迅怎么舍得把本可以好好利用的读书时间白白浪费了啊！那么，该怎么办呢？于是，鲁迅想到了红辣椒。

买来红辣椒后，鲁迅继续坚持在冬夜读书。随着时间一点点过去，他感到越来越冷。最终，极度

de hán lěng ràng tā wú fǎ jì xù zhuān xīn dú shū zhè shí tā shēn shǒu zhāi xia
的寒冷让他无法继续专心读书。这时，他伸手摘下

yī gè hóng là jiāo fàng jin zuǐ li màn màn jiáo zhe zhí là de mǎn tóu dà hàn
一个红辣椒，放进嘴里慢慢嚼着，直辣得满头大汗……

lǔ xùn jiù yòng zhè zhǒng bàn fǎ qū hán jiān chí zài hán yè zhōng dú shū
鲁迅就用这种办法驱寒，坚持在寒夜中读书，

yíng dé le xǔ duō bǎo guì de shí jiān
赢得了许多宝贵的时间。

zài zhī hòu de rì zi li lǔ xùn yě yī zhí duì
在之后的日子里，鲁迅也一直对

shí jiān zhuā de hěn jǐn shàn yú zài fán máng zhōng
时间抓得很紧，善于在繁忙中

jǐ chu shí jiān xué xí tā céng jīng shuō guo
挤出时间学习。他曾经说过：

shí jiān jiù xiàng hǎi mián li de shuǐ zhǐ yào nǐ
“时间，就像海绵里的水，只要你

jǐ zǒng shì yǒu de
挤，总是有的。”

勤学魔法棒

勤奋是学习的金钥匙。想办法，抓紧时间，让时间为自己服务，而不是任由时间白白地溜走，这样就一定能找出更多的时间去学习；当然还要保证必要的休息和睡眠，劳逸结合。

妈妈不在，我不会做

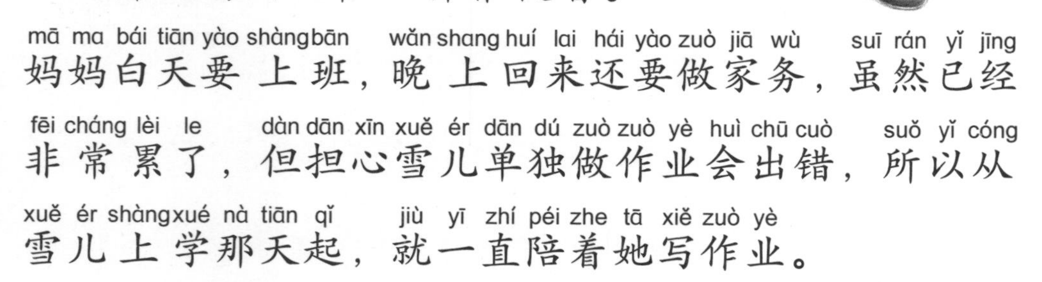

“妈妈，我要做作业了，你快点过来，快点！”晚饭后，李雪儿又开始像往常一样催促着。

妈妈白天要上班，晚上回来还要做家务，虽然已经非常累了，但担心雪儿单独做作业会出错，所以从雪儿上学那天起，就一直陪着她写作业。

妈妈一边洗着碗筷，一边喊道：“雪儿，妈妈马上就来，你自己先做着……”

“不，你不来我就不做！”雪儿嚷嚷着，依赖妈妈

zǎo yǐ chéng le xí guàn
早已成了习惯。

mā ma cōngcōng xǐ wán
妈妈匆匆洗完

wǎnkuài yòucōngcōng lái dào xuě ér shēnbiān
碗筷，又匆匆来到雪儿身边。

zhè shí xuě ér cái ná qi le qiān bǐ
这时，雪儿才拿起了铅笔，

kāi shǐ xiě zuò yè mā ma zuò zài yī biān
开始写作业。妈妈坐在一边，

chōng fèn xíng shǐ le zhǐ dǎo de yì wù
充分行使了指导的“义务”：

xuě ér zhè ge zì xiě cuò le xuě ér zhè ge jù zi
“雪儿，这个字写错了！雪儿，这个句子

yīng gāi zhè yàng zào xuě ér zhè li yīng gāi yòng dòu hào
应该这样造！雪儿，这里应该用逗号……”

duō fēn zhōng hòu xuě ér zhōng yú zuò wán le yǔ wén zuò yè yòu kāi
20多分钟后，雪儿终于做完了语文作业，又开

shǐ zuò shù xué liàn xí měi dāng yù dào jiǎn dān de jì suàn huò yìng yòng tí xuě
始做数学练习。每当遇到简单的计算或应用题，雪

ér jiù zì jǐ zuò zài yóu mā ma jiǎn chá shì fǒu zuò duì le yù dào shāo wēi nán
儿就自己做，再由妈妈检查是否做对了；遇到稍微难

yī diǎn de tí xuě ér lián xiǎng dōu bù xiǎng jiù zhǐ zhe tí mù shuō mā
一点的题，雪儿连想都不想，就指着题目说：“妈

ma zhè dào tí wǒ bù huì zuò
妈，这道题我不会做。”

zhè dào tí yī diǎn yě bù nán nǐ zì jǐ xiān xiǎng xiang yī dìng néng
“这道题一点也不难，你自己先想想，一定能……”

“不，你帮我想！”雪儿耍起了赖皮。

“好吧，”妈妈无奈地叹了口气，只好继续指导起来，“你看，这道题应该这样理解……”

在妈妈的指导下，雪儿将答案照抄在了练习册上。

有了妈妈的帮助，雪儿每次作业都做得非常好，常受到老师的表扬。

考试了，时间已经过去了一半，同学们都在紧张地答题，而雪儿呢，她还在咬着铅笔发呆，试卷上只写了几个字。老师发现后，走过来问：“李雪儿，时间快到了，你怎么还不快点答题？”

“妈妈不在，我不会做……”雪儿小声说。

勤学魔法棒

雪儿因为总要妈妈的陪同才写作业，结果一旦妈妈不在，便什么也不会做了。小朋友可千万不能这样呀，一定要独立完成作业！否则会影响自己独立思考的能力，也不利于责任感的培养。只有自己能独立掌握的知识，才是真正属于自己的知识。

蛮横的公鸡

cóngqián yǒu yī gè nóng fū yǎng le yī qún jī měi dāng dào jī shè li
从前，有一个农夫养了一群鸡。每当到鸡舍里
wèi jī de shí hou tā zǒng shì bǎ zhà lan mén qiāo de hěn xiǎng shí jiān jiǔ le
喂鸡的时候，他总是把栅栏门敲得很响。时间久了，
nà xiē jī yī tīng dào zhà lan mén xiǎng jiù huì zhēng xiān kǒng hòu de yǒng xiàng jī
那些鸡一听到栅栏门响，就会争先恐后地涌向鸡
shè de zhà lan biān bǎ tóu cóng zhà lan fèng xì zhōng shēn dào wài miàn de shí cáo
舍的栅栏边，把头从栅栏缝隙中伸到外面的食槽，
pīn mìng de zhuó shí lǐ miàn de shí liào
拼命地啄食里面的食料。

zài zhè xiē jī zhōng yǒu yī zhī shēn qiáng lì zhuàng de dà gōng jī fēi cháng mán hèng zhàng zhe zì jǐ lì qi
在这些鸡中有一只身强力壮的大公鸡，非常蛮横，仗着自己力气

dà zǒng shì qī fu qí tā de jī měi cì chī dōng xi de shí hou tā zǒng
大，总是欺负其他的鸡。每次吃东西的时候，它总
shì cū lǔ de tuī kai tóng bàn pǎo dào zuì qián miàn rú guǒ yǒu nǎ zhī jī dǎn gǎn
是粗鲁地推开同伴，跑到最前面。如果有哪只鸡胆敢
pǎo dào tā qián miàn tā jiù huì duì nà zhī jī yòu zhuó yòu tī qí tā de jī
跑到它前面，它就会对那只鸡又啄又踢。其他的鸡
duì tā shì gǎn nù bù gǎn yán
对它是敢怒不敢言。

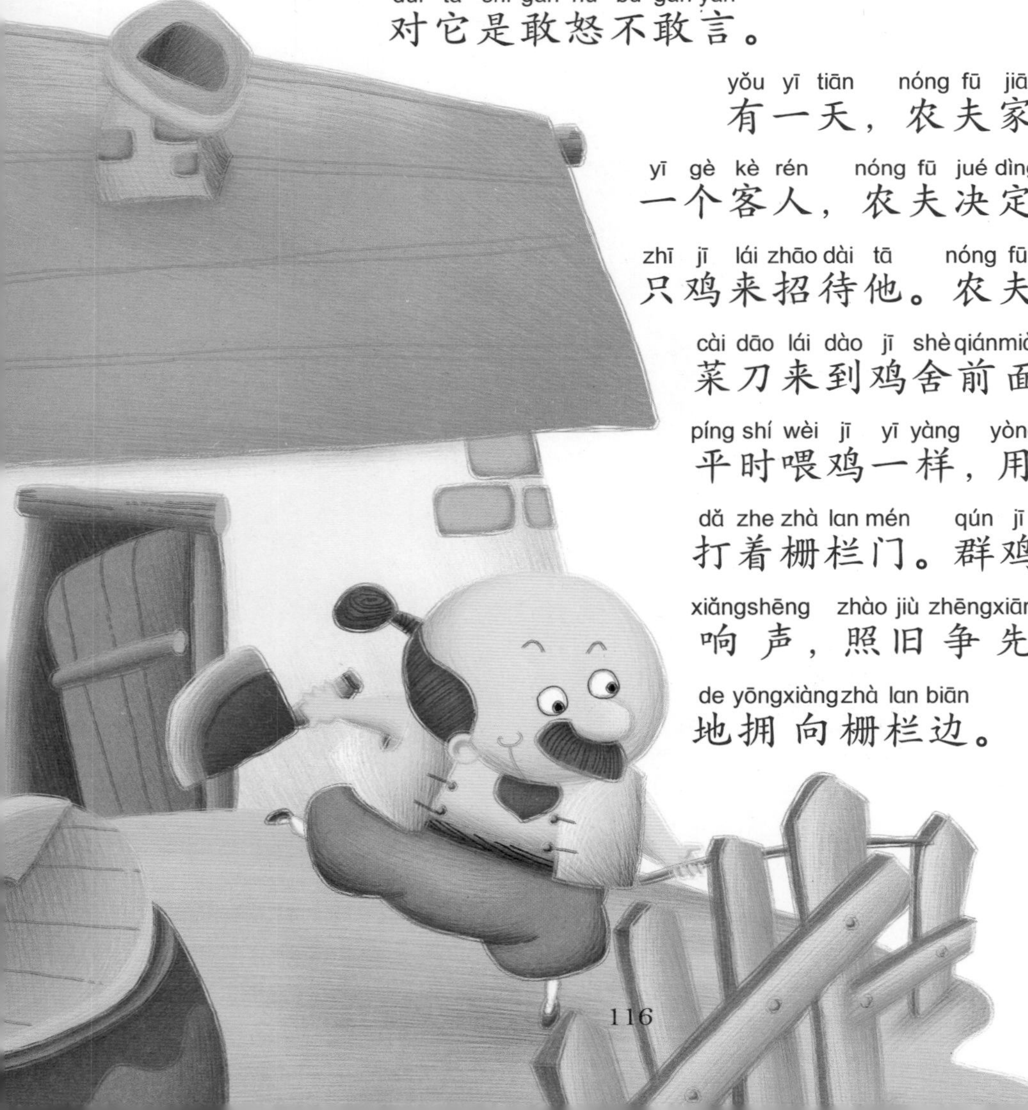

yǒu yī tiān nóng fū jiā lái le
有一天，农夫家来了
yī gè kè rén nóng fū jué dìng shā yī
一个客人，农夫决定杀一
zhī jī lái zhāo dài tā nóng fū ná zhe
只鸡来招待他。农夫拿着
cài dāo lái dào jī shè qián miàn xiàng
菜刀来到鸡舍前面，像
píng shí wèi jī yī yàng yòng lì qiāo
平时喂鸡一样，用力敲
dǎ zhe zhà lan mén qún jī tīng dào
打着栅栏门。群鸡听到
xiǎng shēng zhào jiù zhēng xiān kǒng hòu
响声，照旧争先恐后
de yōng xiàng zhà lan biān
地拥向栅栏边。

gǔn kāi bié dǎng zhe wǒ de lù nà
"滚开！别挡着我的路！"那
zhī mánhèng de gōng jī bǎ nà xiē shòu xiǎo de tóng
只蛮横的公鸡把那些瘦小的同
bàn tuī de dōng dǎo xī wāi zì jǐ zuì xiān chōng
伴推得东倒西歪，自己最先冲
dào le zhà lan biān bǎ bó zi shēn le chū qù
到了栅栏边，把脖子伸了出去。

nóng fū jiàn yǒu jī shēn chu le tóu lì jí shǒu qǐ dāo luò yī xià zi
农夫见有鸡伸出了头，立即手起刀落，一下子
kǎn duàn le nà zhī gōng jī de bó zi
砍断了那只公鸡的脖子。

nà zhī mánhèng de gōng jī jiù zhè yàng xī li hú tú de chéng le zhǔ rén
那只蛮横的公鸡就这样，稀里糊涂地成了主人
zhāo dài kè rén de cài yáo
招待客人的菜肴。

勤学魔法棒

虽然敲栅栏的声音是一样的，但是应该能看到主人手中锋利的钢刀呀！在学习的过程中，没看清楚题目的要求，或者没弄明白老师的要求，就匆忙根据自己的想象和习惯做题，结果自然是错误百出了。学习也是一个培养观察能力、分析能力的过程。

墨子对耕柱的鞭策

mò zǐ shì mò jiā xué pài de chuàng shǐ rén shì zhàn guó shí qī zhù míng de
墨子是墨家学派的创始人，是战国时期著名的
sī xiǎng jiā kē xué jiā zài dāng shí yǐng xiǎng fēi cháng dà
思想家、科学家，在当时影响非常大。

mò zǐ yǒu hěn duō xué shēng qí zhōng zuì lìng tā dé yì de mén shēng míng
墨子有很多学生，其中最令他得意的门生，名
jiào gēng zhù mò zǐ jǐn guǎn hěn xǐ huan gēng zhù què jīng cháng zé bèi shèn zhì zé
叫耕柱。墨子尽管很喜欢耕柱，却经常责备甚至责
mà tā yǒu shí hou gēng zhù míng míng zhǐ fàn le yī diǎn xiǎo cuò mò zǐ yě
骂他。有时候，耕柱明明只犯了一点小错，墨子也
huì yán lì pī píng tā ér rú guǒ qí tā xué shēng fàn le
会严厉批评他，而如果其他学生犯了
tóng yàng de cuò wù mò zǐ què cháng shì ér bù
同样的错误，墨子却常视而不
jiàn gēng zhù gǎn dào shí fēn wěi qu jué
见。耕柱感到十分委屈，觉
de lǎo shī bù xǐ huan tā
得老师不喜欢他。

yǒu yī cì gēng zhù yòu yīn wèi fàn le yī diǎn xiǎo cuò shòu dào le mò zǐ
有一次，耕柱又因为犯了一点小错受到了墨子

de zé bèi yě shòu dào le tóng xué men de cháo xiào gēng zhù jué de fēi cháng wěi
的责备，也受到了同学们的嘲笑。耕柱觉得非常委

qu yě hěn méi yǒu miàn zi tā xīn xiǎng zài lǎo shī de zhòng duō mén shēng
屈，也很没有面子。他心想：“在老师的众多门生

zhōng wǒ shì gōng rèn zuì yōu xiù de zài bié rén miàn qián yě jīng cháng dé dào zàn
中，我是公认最优秀的，在别人面前也经常得到赞

yáng dàn shì lǎo shī què jīng cháng zhǐ zé wǒ ràng wǒ zài rén qián diū jìn le miàn
扬，但是老师却经常指责我，让我在人前丢尽了面

zi bù xíng wǒ děi qù wèn wen lǎo shī wèi shén me yào zhè yàng nán dào wǒ
子。不行，我得去问问老师为什么要这样？难道我

zhēn de rú cǐ chà jìn ma
真的如此差劲吗？”

gēng zhù fèn fèn bù píng de lái dào mò zǐ miàn qián zhì wèn dào lǎo shī
耕柱愤愤不平地来到墨子面前，质问道：“老师，

nán dào zài nín de xué shēng dāng zhōng wǒ zhēn de
难道在您的学生当中，我真的

shì zuì chà jìn de yǐ
是最差劲的，以

zhì yú nín lǎo ren
至于您老人

jia jìng rán yào dāng zhe zhè me duō rén
家竟然要当着这么多人

de miàn zé mà wǒ ér bié rén nín què hěn shǎo
的面责骂我？而别人，您却很少

zé bèi nín bù jué de zhè tài bù
责备。您不觉得这太不

gōngpíng le ma
公平了吗？”

mò zǐ méi yǒu zhí jiē huí dá
墨子没有直接回答

gēngzhù de wèn tí fǎn wèn dào
耕柱的问题，反问道：

rú guǒ wǒ xiàn zài yào dào tài hángshān
“如果我现在要到太行山，

yī nǐ kàn wǒ yīng gāi yòng liáng mǎ lái
依你看，我应该用良马来

lā chē hái shi yòng lǎo niú lái tuō chē ne
拉车，还是用老牛来拖车呢？”

zhè hái yòng wèn gēngzhù huí dá shuō jí shǐ zài bèn de rén yě
“这还用问，”耕柱回答说，“即使再笨的人，也

zhī dào yào yòng liáng mǎ lái lā chē a
知道要用良马来拉车啊。”

wèi shén me bù yòng lǎo niú ne mò zǐ yòu wèn
“为什么不用老牛呢？”墨子又问。

lǐ yóu fēi cháng jiǎn dān yīn wèi liáng mǎ zú yǐ dān dāng zhòng rèn zhí
“理由非常简单，因为良马足以担当重任，值

dé qū qiǎn ér lǎo niú què bù néng chéng dān zhòng rèn
得驱遣。而老牛却不能承担重任。”

nǐ shuō de yī diǎn cuò yě méi yǒu mò zǐ yì wèi shēn cháng de shuō
“你说得一点错也没有。”墨子意味深长地说，

wǒ zé mà nǐ bìng bù shì yīn wèi nǐ hěn chà jìn ér shì zài biān cè nǐ
“我责骂你，并不是因为你很差劲，而是在鞭策你。

zhèng shì yīn wèi nǐ zú yǐ dān fù zhòng rèn wǒ cái yī zài jiào dǎo hé kuāng
正是因为你足以担负重任，我才一再教导和匡

zhèng a
正啊！”

tōng guò zhè fān tán huà gēng zhù zhōng yú lǐ jiě le lǎo shī de kǔ xīn
通过这番谈话，耕柱终于理解了老师的苦心，

cóng cǐ duì lǎo shī gèng jiā zūn jìng le jí shǐ shòu dào zé mà yě bù zài bào yǒu
从此对老师更加尊敬了，即使受到责骂也不再抱有

yuàn yán ér shì shí fēn xū xīn de jiē shòu yīn cǐ zài yǐ hòu de xué xí zhōng
怨言，而是十分虚心地接受，因此在以后的学习中

jìn bù fēi cháng kuài
进步非常快。

勤学魔法棒

俗话说：“爱之深，责之切。”恐怕很少有人没受过老师的批评或责罚。要知道，适当的批评和责罚，是每个人健康成长中不可缺少的养分。学习中的责罚，多是为了让你补救过失，改掉错误的习惯，强化应学的知识，让学习更有效率。所以，小朋友们要正确理解老师，让老师的批评变得更有价值。

牛顿的“怪”问题

yīngguó dà kē xué jiā niú dùn xiǎo shí hou yǔ wài zǔ mǔ shēnghuó zài yī qǐ
英国大科学家牛顿小时候与外祖母生活在一起。
xiǎo niú dùn duì shén me dōu gǎn dào hào qí jīngcháng chánzhe wài zǔ mǔ wèn zhè wèn
小牛顿对什么都感到好奇，经常缠着外祖母问这问
nà nòng de wài zǔ mǔ hěn shì tóu téng měi cì wài zǔ mǔ bèi wèn zhù shí dōu
那，弄得外祖母很是头疼。每次外祖母被问住时，都
huì qù chá shū rán hòu bǎ dá àn gào su niú dùn
会去查书，然后把答案告诉牛顿。

yǒu yī cì niú dùn yòu wèn wèi shén me
有一次，牛顿又问：“为什么
jìng zi li huì chū xiàn rén yǐng ne
镜子里会出现人影呢？”

wài zǔ mǔ yòu bèi wèn zhù le yú shì zhǎo
外祖母又被问住了，于是找
chu yī dà duī shū dài shang lǎo huā jìng chī lì
出一大堆书，戴上老花镜，吃力
de fān yuè qi lai dàn fān biàn le suǒ yǒu de shū
地翻阅起来。但翻遍了所有的书，

dōu méi zhǎo dào dá àn tā biàn duì niú dùn shuō hái zi shū shang yě méi
都没找到答案，她便对牛顿说：“孩子，书上也没
yǒu dá àn nǐ hái shi zì jǐ qù zhǎo dá àn ba
有答案，你还是自己去找答案吧。”

cóng nà tiān qǐ xiǎo niú dùn jiù zhěng tiān duì zhe jiā li de jìng zi fā dāi
从那天起，小牛顿就整天对着家里的镜子发呆，
yǒu shí zài jìng zi qián zhuàn lai zhuàn qu yǒu shí yòu zhàn zài jìng zi qián shēn sī
有时在镜子前转来转去，有时又站在镜子前深思。
tā xiǎng yī dìng shì jìng zi lǐ miàn cáng zhe shén me mì mì yào bù wǒ zěn
他想：一定是镜子里面藏着什么秘密，要不，我怎
me shén me yě zhǎo bu dào ne
么什么也找不到呢？

xiǎng dào zhè li tā zhǎo lai yī bǎ xiǎo chuí zi kāi shǐ qiāo dǎ jìng zi
想到这里，他找来一把小锤子，开始敲打镜子。

zhǐ tīng kuānglāng yī shēng cuì xiǎng jìng zi bèi qiāo suì le xiǎo niú dùn kàn
只听“哐啷”一声脆响，镜子被敲碎了。小牛顿看
zhe mǎn dì de suì bō li xià de bù zhī rú hé shì hǎo hǎo zài wài zǔ mǔ yě
着满地的碎玻璃，吓得不知如何是好。好在外祖母也
méi zé mà tā zhǐ shì gào jiè tā yǐ hòu yào xiǎo xīn
没责骂他，只是告诫他以后要小心。

yǒu yī cì wài zǔ mǔ gěi xiǎo niú dùn zuò le yī gè zhǐ fēng chē kàn zhe
有一次，外祖母给小牛顿做了一个纸风车。看着
fēng chē bù tíng de zhuàn dòng xiǎo niú dùn fēi cháng kāi xīn kàn zhe kàn zhe tā
风车不停地转动，小牛顿非常开心。看着看着，他
hū rán wèn wài zǔ mǔ fēng chē wèi shén me
忽然问外祖母：“风车为什么
huì zhuàn ne
会转呢？”

yǒu fēng zài chuī tā jiù huì zhuàn
“有风在吹，它就会转
qi lai wài zǔ mǔ shuō
起来。”外祖母说。

fēng shì cóng nǎ li lái de
“风是从哪里来的？”

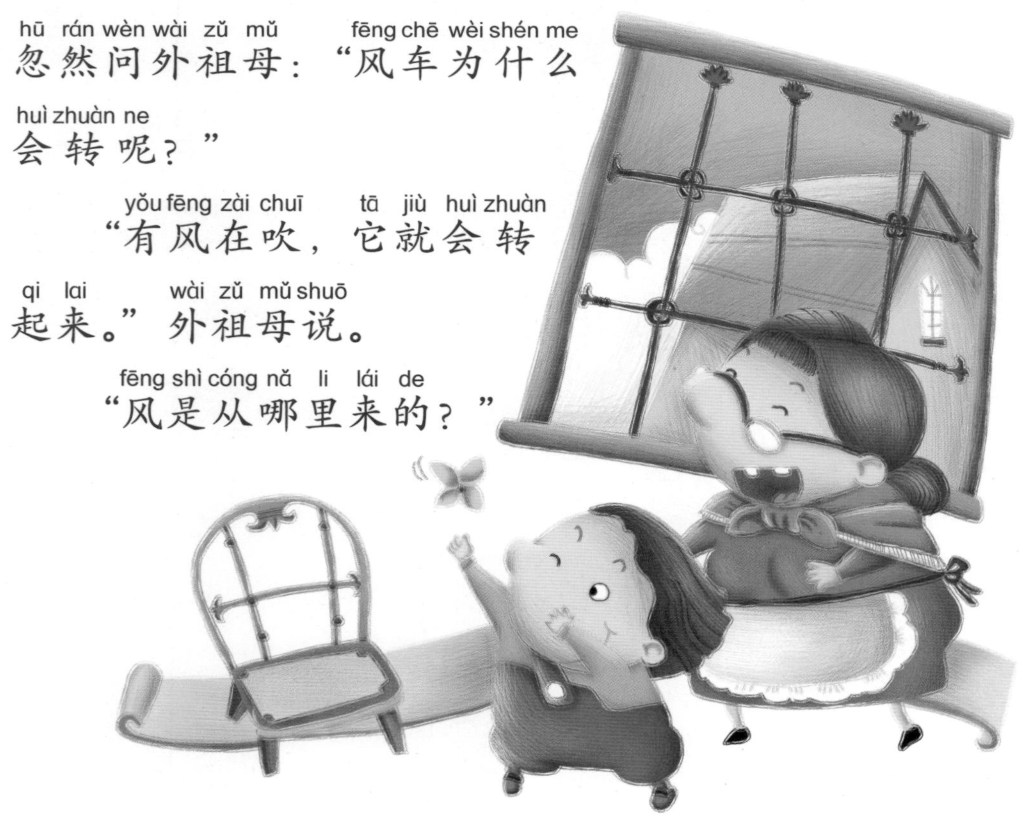

hái zi shì kōng qì de liú dòng xíng chéng le fēng
“孩子，是空气的流动形成了风。”

kōng qì wèi shén me huì liú dòng
“空气为什么会流动？”

wài zǔ mǔ chá le chá shū shuō shū shang shuō shì yīn wèi yǒu gāo qì
外祖母查了查书，说：“书上说是因为有高气

yā hé dī qì yā de cún zài
压和低气压的存在。”

shén me shì gāo qì yā hé dī qì yā ne
“什么是高气压和低气压呢？”

……

guān yú zhè ge wèn tí niú dùn sī suǒ le hěn jiǔ suì nà nián tā
关于这个问题，牛顿思索了很久。14岁那年，他

zài mù jiàng de bāng zhù xià zuò chu le yī gè dà fēng chē bìng yòng tā lái dài
在木匠的帮助下，做出了一个大风车，并用它来带

dòng mó miàn jī gōng zuò zhè yàng nóng zhuāng li de rén jiù bù yòng dào hěn yuǎn
动磨面机工作。这样，农庄里的人就不用到很远

de dì fang qù mó miàn le
的地方去磨面了。

勤学魔法棒

好奇是学习的出发点。你看，牛顿从小就非常好奇，总爱问问题，结果不但在14岁时就做出了一个带动磨面机的大风车，长大后更成了伟大的科学家。小朋友，你喜欢提出问题吗？无论如何，都要试着在生活中多发现问题，并去寻找答案。

农民和过路人

yī gè guò lù rén jīng guò yī kuài nóng tián shí kàn dào yī gè nóng mín zhèng
一个过路人经过一块农田时，看到一个农民正
zài tián li huī wǔ zhe chú tou páo dì nóng mín zǒng shì chuǎn jǐ kǒu qì cái huī dòng
在田里挥舞着锄头刨地。农民总是喘几口气才挥动
yī xià chú tou láo dòng sù dù hěn màn
一下锄头，劳动速度很慢。

guò lù rén kàn le lì jí bù nài fán de chòng nóng mín hǎn dào nǐ
过路人看了，立即不耐烦地冲农民喊道：“你
zhè me gàn huó er tài màn le chuǎn jǐ kǒu qì cái páo yī xià nóng tián nà me
这么干活儿太慢了，喘几口气才刨一下，农田那么
dà jiù shì gàn dào nián dǐ yě gàn bu wán a
大，就是干到年底也干不完啊！”

nóng mín tíng le xià lái yě chòng guò lù rén hǎn dào shì ma wǒ
农民停了下来，也冲过路人喊道：“是吗？我
zhòng le yī bèi zi dì dàn zhí dào xiàn zài yě bù dǒng rú hé gēng zhòng bù rú
种了一辈子地，但直到现在也不懂如何耕种，不如
nǐ guò lai gěi wǒ shì fàn yī xià ràng wǒ yě xué xí xué xí
你过来给我示范一下，让我也学习学习？”

méi wèn tí guò lù rén háo bù kè qi de tuō xia dà yī zǒu dào
“没问题！”过路人毫不客气地脱下大衣，走到
tián zhōng cóng nóng mín shǒu zhōng jiē guo bèn zhòng de chú tou biàn kuài sù de páo
田中，从农民手中接过笨重的锄头，便快速地刨
qǐ dì lai tā chuǎn yī kǒu qì jiù lián páo hǎo jǐ xià měi páo yī xià
起地来。他喘一口气，就连刨好几下；每刨一下，
dōu shǐ chu hún shēn de lì qi tā gàn de hěn kuài dàn gàn le méi duō jiǔ biàn
都使出浑身的力气。他干得很快，但干了没多久，便
jīn pí lì jìn dòu dà de hàn zhū shùn zhe é tóu hé jǐ bèi yī gè jìn er de
筋疲力尽，豆大的汗珠顺着额头和脊背一个劲儿地
wǎng xià liú lèi de shàng qì bù jiē xià qì lián huà dōu shuō
往下流，累得上气不接下气，连话都说
bu chū lái le rú guǒ bù shì yòng chú tou zhī chēng zhe tā
不出来了。如果不是用锄头支撑着，他
jiù huì dǎo zài tián dì li le
就会倒在田地里了。

guò lù rén xiē le bàn tiān hū xī cái jiàn jiàn
过路人歇了半天，呼吸才渐渐
píng wěn tā dā la zhe nǎo dai cháng tàn yī kǒu
平稳。他耷拉着脑袋，长叹一口
qì yǒu xiē huī xīn de shuō jīn
气，有些灰心地说：“今
tiān wǒ suàn shì zhī dào zhòng
天，我算是知道种
tián de jiān nán le
田的艰难了。”

zhòng tián yǒu shén me nán de nóng mín wēi xiào zhe shuō dàn shì
“种田有什么难的？”农民微笑着说，“但是，
xiàng nǐ zhè yàng zhòng tián dí què xiǎn de bǐ jiào nán nǐ chuǎn yī kǒu qì jiù
像你这样种田，的确显得比较难。你喘一口气，就
yī xià zi lián páo jǐ xià chú tou zhè yàng gàn wǎng wǎng chí xù de shí jiān hěn
一下子连刨几下锄头。这样干，往往持续的时间很
duǎn ér tíng xia lai xiū xi de shí jiān què hěn cháng ér wǒ ne shì chuǎn jǐ
短，而停下来休息的时间却很长。而我呢，是喘几
kǒu qì páo yī xià chú tou suī rán gàn de màn dàn wǎng wǎng gàn huó de shí jiān
口气刨一下锄头，虽然干得慢，但往往干活的时间
hěn cháng xiū xi de shí jiān hěn duǎn zhè yàng bǐ jiào xia lai nǎ zhǒng zhòng
很长，休息的时间很短。这样比较下来，哪种种
tián fāng shì kuài qīng sōng jiù hěn qīng chu le ba
田方式快、轻松，就很清楚了吧！”

tīng le nóng mín de yī fān huà guò lù rén gǎi biàn le qǐ chū nà zhǒng qiáo
听了农民的一番话，过路人改变了起初那种瞧
bu qǐ nóng mín de xīn lǐ xīn yuè chéng fú de lián lián diǎn tóu suí hòu tā
不起农民的心理，心悦诚服地连连点头。随后，他
gào bié le nóng mín ná qi dà yī zǒu chu le tián dì
告别了农民，拿起大衣走出了田地。

勤学魔法棒

种田需要劳逸结合，讲究方法。同样，学习也是如此，如果凭着一股劲儿，一下子学习很长时间，搞得非常疲劳，往往起不到好的效果，反倒是张弛有度，收效更大。所以，学习一段时间后，当感到有些累的时候，就要休息一下。

皮皮的怪招

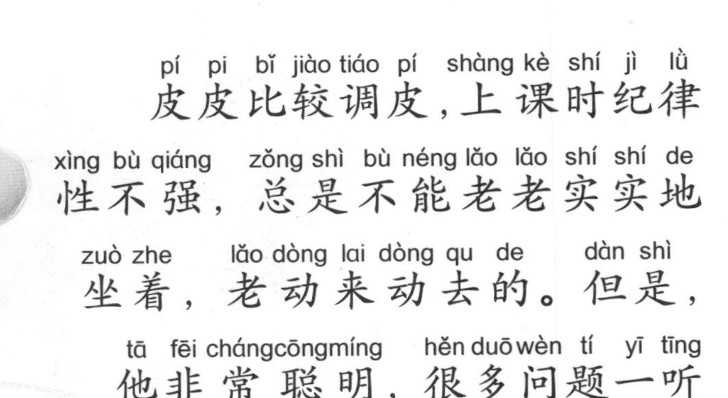

pí pi bǐ jiào tiáo pí shàng kè shí jì lǜ
皮皮比较调皮，上课时纪律
xìng bù qiáng zǒng shì bù néng lǎo lǎo shí shí de
性不强，总是不能老老实实地
zuò zhe lǎo dòng lai dòng qu de dàn shì
坐着，老动来动去的。但是，
tā fēi cháng cōng míng hěn duō wèn tí yī tīng
他非常聪明，很多问题一听
jiù huì suǒ yǐ lǎo shī yī tí chū wèn
就会，所以老师一提出问
tí lai tā jiù bǎ shǒu jǔ de gāo gāo
题来，他就把手举得高高
de kě shì lǎo shī zǒng bù néng suǒ
的。可是，老师总不能所
yǒu de wèn tí dōu ràng tā yī gè rén huí
有的问题都让他一个人回
dá ya zǒng děi zhào gù qí tā tóng xué
答呀，总得照顾其他同学。

zhè xià kě jí huài le pí pi
这下，可急坏了皮皮。

yǒu yī cì shàng kè de shí hou
有一次上课的时候，
pí pi gù yì bǎ wén jù hé pèng luò dào
皮皮故意把文具盒碰落到
dì shang huá lā yī shēng
地上，“哗啦”一声，
lǐ miàn de wén jù sǎ le
里面的文具撒了
yī dì tā máng
一地。他忙
wān xia shēn zi
弯下身子，
cóng zhè ge zhuō
从这个桌
zi zuān dào nà
子钻到那
ge zhuō zi qù jiǎn wén
个桌子去拣文
jù tóng xué men dōu bèi tā dòu de tōu tōu xiào qi lai
具，同学们都被他逗得偷偷笑起来。

zhè shí lǎo shī zhèng hǎo tí le yī gè wèn tí pí pi tīng jiàn le
这时，老师正好提了一个问题。皮皮听见了，
tā de xiǎo shǒu jū rán yī xià zi cóng yī gè zhuō zi xià jǔ le qǐ lái yǒu xiē
他的小手居然一下子从一个桌子下举了起来，有些
tóng xué gèng shì dà shēng xiào qi lai
同学更是大声笑起来。

lǎo shī jiàn le yǒu xiē shēng qì què yòu jué de hǎo xiào xiǎng tōng guò zhè
老师见了，有些生气却又觉得好笑，想通过这
ge shì qing jiào yù pí pi yī xià yú shì biàn shuō pí pi nǐ lái huí dá
个事情教育皮皮一下，于是便说：“皮皮，你来回答
yī xià zhè ge wèn tí
一下这个问题。”

pí pi chī liū yī xià cóng zhuō zi xià miàn zuān le chū lái jū rán
皮皮“哧溜”一下从桌子下面钻了出来，居然
hěn zì xìn de huí dá duì le kàn zhe tā nà xīng fèn de yàng zi lǎo shī hū rán
很自信地回答对了。看着他那兴奋的样子，老师忽然
míng bai le yuán lái pí pi shì xiǎng tōng guò zhè yàng de jǔ dòng lái yǐn qi zì
明白了：原来，皮皮是想通过这样的举动来引起自
jǐ de zhù yì
己的注意！

勤学魔法棒

皮皮可真够调皮的，让人哭笑不得。不过，他在上课时积极回答老师的提问，这可是一种促进学习的好办法呢。如果你也能像皮皮那样积极回答问题，学习成绩一定会有所提高的。当然，学他的学习习惯，不一定非得像他那样在课堂上调皮。

齐人学弹瑟

wǒ guó gǔ dài yǒu yī zhǒng jiào sè de yuè qì tán zòu shí fā chū de shēng
我国古代有一种叫瑟的乐器，弹奏时发出的声
yīn fēi cháng yuè ěr hěn duō zhào guó rén jīng tōng tán sè
音非常悦耳。很多赵国人精通弹瑟。

yǒu yī gè qí guó rén fēi cháng xiàn mù zhào guó rén tán sè de jì yì jué
有一个齐国人非常羡慕赵国人弹瑟的技艺，决
dìng qù zhào guó bài shī xué yì dào le zhào guó hòu tā bài le yī wèi néng shǒu
定去赵国拜师学艺。到了赵国后，他拜了一位能手
wéi shī dàn méi xué jǐ tiān zhè ge qí guó rén jiù gǎn dào yàn fán le bù dàn
为师。但没学几天，这个齐国人就感到厌烦了，不但
cháng zhǎo lǐ yóu chí dào zǎo tuì shàng kè shí yě zǒng shì kāi xiǎo chāi bù zhuān
常找理由迟到早退，上课时也总是开小差，不专
xīn tīng jiǎng píng shí yě bù hǎo hǎo liàn xí
心听讲，平时也不好好练习。

qí guó rén xué le yī nián duō hòu réng rán tán bu chū chéng diào de qǔ zi
齐国人学了一年多后，仍然弹不出成调的曲子。
suī rán tā hěn dān xīn shén me yě xué bu dào huí qí guó hòu ràng rén xiào hua què
虽然他很担心什么也学不到，回齐国后让人笑话，却

zǒngxiǎngzhe rú hé tóu jī qǔ qiǎo cóng bù kěnzhuā jǐn shí jiān rènzhēnyán xí tán
总想着如何投机取巧，从不肯抓紧时间认真研习弹
sè de jī běn yào lǐng hé jì qiǎo
瑟的基本要领和技巧。

qí guó rén zhù yì dào shī fu měi cì zài tán sè zhī qián dōu yào shì xiān tiáo
齐国人注意到，师傅每次在弹瑟之前都要事先调
yīn rán hòu cái kāi shǐ tán zòu qǔ zi tán zòu chu de qǔ zi yě shì fēi cháng
音，然后才开始弹奏曲子，弹奏出的曲子也是非常
de dòng tīng yú shì tā xiǎng kàn lai zhǐ yào bǎ yīn tiáo hǎo jiù néng tán hǎo
的动听。于是他想：看来只要把音调好，就能弹好
sè le jiǎ rú zài tiáo hǎo yīn hòu wǒ jiāng tiáo yīn yòng de nà xiē xiǎo zhù zi
瑟了。假如在调好音后，我将调音用的那些小柱子
dōu yòng jiāo zhān láo gù dìng qi lai bù jiù kě yǐ yī láo yǒng yì le ma
都用胶粘牢，固定起来，不就可以一劳永逸了吗？

tā bù jīn wèi zì jǐ de cōngmíng ér
他不禁为自己的“聪明”而
yángyáng dé yì qi lai yú shì tā qǐng shī fu
洋洋得意起来。于是，他请师傅
wèi tā de sè tiáo hǎo le yīn zì jǐ rèn zhēn
为他的瑟调好了音，自己认真
de yòng jiāo bǎ nà xiē tiáo hǎo de xiǎo zhù
地用胶把那些调好的小柱

zi dōuzhān qi lai rán hòu dài zhe sè gāo gāo xìngxìng de huí qí guó le
子都粘起来，然后带着瑟高高兴兴地回齐国了。

huí jiā hòu zhè ge qí guó rén yī yù dào rén jiù kuā yào zì jǐ shuō wǒ
回家后，这个齐国人一遇到人就夸耀自己说：“我
xué chéng huí lai le xiàn zài wǒ yǐ shì tán sè de gāo shǒu le rén men xìn
学成回来了，现在我已是弹瑟的高手了！”人们信
yǐ wéi zhēn fēn fēn qǐng tā tán zòu yī qǔ ràng dà jiā tīng ting tā xīn rán dā
以为真，纷纷请他弹奏一曲，让大家听听。他欣然答
ying lì jí tán zòu qi lai dàn tā nǎ li zhī dào yīn wèi tā de sè wú fǎ
应，立即弹奏起来。但他哪里知道，因为他的瑟无法
tiáo yīn suǒ yǐ tā gēn běn tán bu chū wánzhěng de qǔ zi tīng le tā tán de
调音，所以他根本弹不出完整的曲子。听了他弹的
qǔ zi dà jiā dōu bù jīn wǔ zhù le ěr duo bìng dà shēng hōngxiào qi lai
曲子，大家都不禁捂住了耳朵，并大声哄笑起来。

zhè ge qí guó rén zài dà jiā miànqián chū le gè dà yángxiàng shí fēn bù
这个齐国人在大家面前出了个大洋相，十分不
jiě de xiǎng wǒ míngmíng gù dìng hǎo le yīn zěn me hái shi tán bu hǎo ne
解地想：我明明固定好了音，怎么还是弹不好呢？
tā nǎ li zhī dào jí shǐ yīn tiáo de zài hǎo yě zhǐ shì tán hǎo sè de tiáo jiàn
他哪里知道，即使音调得再好，也只是弹好瑟的条件
zhī yī
之一。

勤学魔法棒

学习是一个循序渐进的过程，是不能偷懒耍滑的。像故事中的齐国人一样，只想着投机取巧，使小聪明，而不是坚持不懈地认真学习、刻苦钻研，方法不当，只能是什么也学不到。

巧记圆周率

yuánzhōu lǜ shì yī gè wú xiàn bù xún
圆周率π是一个无限不循
huán xiǎo shù méi rén zhī dào tā jīng què de
环小数，没人知道它精确的
shù zhí dào dǐ shì duō shao yào jì zhù tā de
数值到底是多少，要记住它的
jīng què shù zhí gèng shì bù kě néng zài píng
精确数值更是不可能。在平
shí jì suàn zhōng rén men yī bān dōu shì qǔ qí jìn sì zhí
时计算中，人们一般都是取其近似值3.14。

chuán shuō yǐ qián nán fāng yǒu wèi jiāo shū xiān sheng zhěng rì li bù wù
传说，以前南方有位教书先生，整日里不务
zhèng yè jiù xǐ huan dào shān shang zhǎo miào li de hé shang hē jiǔ měi cì lín
正业，就喜欢到山上找庙里的和尚喝酒。每次临
xíng qián tā dōu huì liú gěi xué shēng yī yàng zuò yè bèi sòng yuán zhōu lǜ měi
行前，他都会留给学生一样作业：背诵圆周率。每
cì xué shēng dōu bèi gǎo de kǔ bù kān yán
次学生都被搞得苦不堪言。

这天，先生要求学生们在放学前把圆周率背到小数点后30位，如果背不出来，就不准回家。说完，先生在黑板上写下一串长长的数字——3.141592653589793238462643383279后就出门了。

看着这一长串数字，学生们一个个都愁眉苦脸的，硬着头皮背了起来。

但有些调皮的学生想：反正也背不出来，不如出去玩会儿。他们偷偷溜出学堂，跑到后山玩去了。他们忽然看到，先生正与一个和尚在山顶的凉亭里饮酒作乐。有个聪明的学生见此情景，灵机一动，把要背诵的数字编成了一首和当地方言谐音的顺口溜。

傍晚，先生酒足饭饱后，就回来考学生了。奇怪的是，那些老老实实在学堂里硬背的学生都是结结巴巴的，而且总是记乱，那些调皮的学生反而背得准确而流利，全都张口就来：“山巅一寺一壶酒（3.14159），尔乐苦煞吾（26535），把酒吃（897），酒杀尔（932），杀不死（384），遛尔遛死（6264），扇扇刮（338），扇耳吃酒（3279）。”

调皮鬼们一边背着，一边指着山顶，手舞足蹈地做着喝酒、摔死、遛弯、扇耳光等动作。先生气得目瞪口呆，却也无可奈何。

勤学魔法棒

真是有趣的故事，有了这样的顺口溜，很容易就能背出没有规则的圆周率了。对于一些难以记住的知识，小朋友也可以采用顺口溜或歌谣的方式去背。如果找不到相应的顺口溜，可以找父母帮忙。

穷人最缺的是什么

yǐ qián fǎ guó yǒu yī gè fēi cháng pín qióng de nián qīng rén tā kào tuī
以前，法国有一个非常贫穷的年轻人，他靠推
xiāo zhuāng shì yòng de xiàoxiàng huà qǐ jiā yòng le bù dào nián de shí jiān
销装饰用的肖像画起家，用了不到10年的时间，
biàn xùn sù jī shēn fǎ guó dà fù wēng zhī liè chéng le yī wèi niánqīng de méi
便迅速跻身法国50大富翁之列，成了一位年轻的媒
tǐ dà hēng bù xìng de shì tā zài nián yīn huàn qián liè xiàn ái qù shì le
体大亨。不幸的是，他在1998年因患前列腺癌去世了。

tā qù shì hòu fǎ guó yī jiā bào zhǐ kān dēng le tā de yī fèn yí zhǔ
他去世后，法国一家报纸刊登了他的一份遗嘱。
zài yí zhǔ zhōng tā shuō wǒ céng shì yī wèi qióng rén zài yǐ yī gè fù rén
在遗嘱中，他说：“我曾是一位穷人，在以一个富人
de shēn fèn jìn rù tiān táng zhī qián wǒ jiāng zì jǐ chéng wéi fù rén de mì jué liú
的身份进入天堂之前，我将自己成为富人的秘诀留
xia le rú guǒ shéi néng tōng guò huí dá qióng rén zuì quē de shì shén me ér
下了。如果谁能通过回答‘穷人最缺的是什么’而
cāi zhòng wǒ chéng wéi fù rén de mì jué tā jiù néng dé dào wǒ de zhù fú
猜中我成为富人的秘诀，他就能得到我的祝福——

wǒ liú zài yín háng sī rén bǎo xiǎn xiāng li de 100 wàn
我留在银行私人保险箱里的 100 万

fǎ láng zhè yě shì wǒ zài tiān táng jǐ yú
法郎，这也是我在天堂给予

tā de huān hū hé zhǎng shēng
他的欢呼和掌声。”

gòng yǒu 18461 gè rén jì
共有 18461 个人寄

lai le zì jǐ de dá
来了自己的答

àn jué dà bù fen
案。绝大部分

de rén rèn wéi qióng rén zuì quē
的人认为，穷人最缺

de dāng rán shì jīn qián hái yǒu xiē rén rèn wéi
的当然是金钱；还有些人认为，

qióng rén zuì quē de shì jī huì tā men zhī suǒ yǐ pín qióng shì yīn wèi bèi yùn
穷人最缺的是机会，他们之所以贫穷是因为“背运”；

hái yǒu rén shuō qióng rén zuì quē de shì jì néng yǒu le yī jì zhī cháng biàn néng
还有人说，穷人最缺的是技能，有了一技之长便能

xùn sù zhì fù le gè zhǒng dá àn wǔ huā bā mén yīng yǒu jìn yǒu
迅速致富了……各种答案，五花八门，应有尽有。

fù wēng qù shì yī zhōu nián jì niàn rì nà tiān zài gōng zhèng bù mén de jiān
富翁去世一周年纪念日那天，在公证部门的监

dū xià tā de lǜ shī hé dài lǐ rén dǎ kāi le tā zài yín háng de sī rén bǎo xiǎn
督下，他的律师和代理人打开了他在银行的私人保险

xiāng gōng kāi le tā zhì fù de mì jué qióng rén zuì quē de shì chéng wéi fù rén
箱，公开了他致富的秘诀：穷人最缺的是成为富人

de yě xīn
的野心。

zhǐ yǒu yī gè nián jǐn suì de nǚ hái er cāi
只有一个年仅9岁的女孩儿猜
zhòng le dāng tā jiē shòu wàn fǎ láng de jiǎng jīn
中了。当她接受100万法郎的奖金
shí tā shuō suī rán wǒ jiě jie jīng cháng jǐng
时，她说：“虽然我姐姐经常警
gào wǒ bù yào yǒu yě xīn dàn shì wǒ xiǎng
告我不要有野心，但是我想，
yě xǔ yě xīn néng ràng rén dé dào zì jǐ xiǎng
也许野心能让人得到自己想
yào de dōng xi
要的东西。”

mí dǐ jiē kai hòu yī xiē fù wēng zài
谜底揭开后，一些富翁在
tán lùn zhè ge huà tí shí dōu háo bù yǎn shì de chéng rèn yě xīn shì zhì
谈论这个话题时，都毫不掩饰地承认：野心是“治
liáo pín qióng de tè xiào yào shì suǒ yǒu qí jì de méng fā diǎn
疗”贫穷的特效药，是所有奇迹的萌发点。

勤学魔法棒

小朋友，也许你已经明白了，如果有的人学习不好，很可能是因为他缺乏让学习变好的“野心”哦！你可千万不能自甘平庸啊。

让自己变成珍珠

露丝是个漂亮可爱的小姑娘，在上幼儿园的时候，老师和小朋友们都很喜欢她，她自己也十分得意。但是，上了一段时间小学之后，爸爸发现她总是闷闷不乐的。

在一个晴朗的星期天，爸爸特地带着露丝来到离家不远的海边。爸爸问：“小露丝，

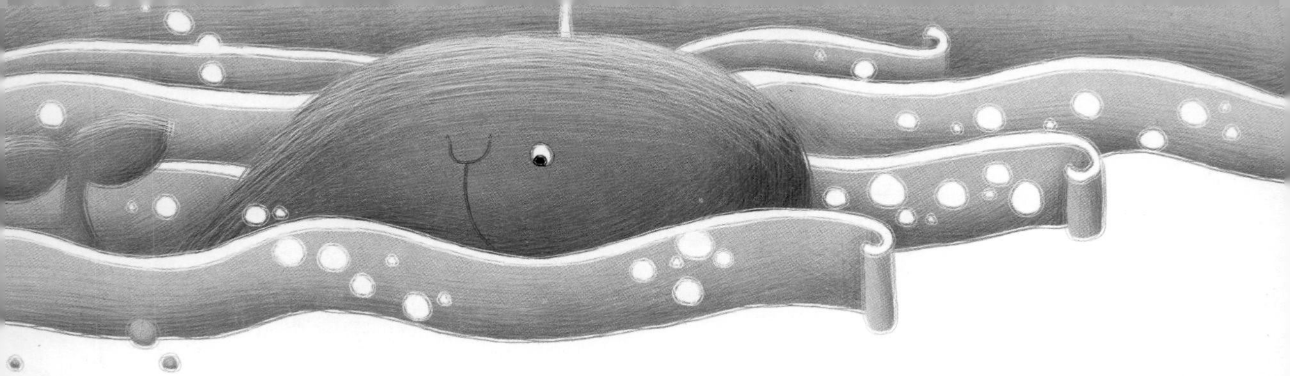

nǐ zuì jìn zěn me hǎo xiàng bù tài gāo xìng a
你最近怎么好像不太高兴啊？”

lù sī yī tīng yǎn jing li lì jí qín mǎn le lèi huā wěi qu de shuō
露丝一听，眼睛里立即噙满了泪花，委屈地说：

lǎo shī hé tóng xué men dōu bù xǐ huan wǒ
“老师和同学们都不喜欢我。”

wèi shén me zhè me shuō
“为什么这么说？”

shàng yòu ér yuán de shí hou lǎo shī zǒng ràng wǒ kān zhe xiǎo péng yǒu bù
“上幼儿园的时候，老师总让我看着小朋友，不
ràng tā men hú nào hái ràng wǒ dài zhe xiǎo péng yǒu zuò yóu xì rèn zì
让他们胡闹，还让我带着小朋友做游戏、认字……
xiǎo péng yǒu dōu xǐ huan gēn wǒ wán yě tīng wǒ de huà kě shì xiàn zài de
小朋友都喜欢跟我玩，也听我的话。可是，现在的
lǎo shī zǒng ràng lìng yī gè xiǎo nán hái er bāng tā zuò shì tóng xué men yě bù ài
老师总让另一个小男孩儿帮他做事，同学们也不爱
gēn wǒ wán wǒ shuō de huà tā men yě bù tīng méi yǒu rén xǐ huan wǒ wū
跟我玩，我说的话他们也不听。没有人喜欢我，呜
wū wū
呜呜……”

bà ba bàn tiān méi yǒu shuō huà hū rán tā wān yāo cóng shā tān shang jiǎn
爸爸半天没有说话。忽然，他弯腰从沙滩上捡

qi yī lì shā zi ràng lù sī
起一粒沙子，让露丝

kàn le kàn rán hòu suí shǒu rēng
看了看，然后随手扔

dào shā tān shang shuō dào lù sī qǐng nǐ bǎ wǒ gāng cái rēng zài shā tān shang
到沙滩上，说道：“露丝，请你把我刚才扔在沙滩上

de shā zi jiǎn qi lai
的沙子捡起来。”

zhè gēn běn bù kě néng lù sī dà shēng shuō dào
“这根本不可能！”露丝大声说道。

bà ba méi yǒu shuō huà cóng kǒu dai li tāo chu yī kē jīng yíng de zhēn zhū
爸爸没有说话，从口袋里掏出一颗晶莹的珍珠，

suí shǒu wǎng shā tān shang yī rēng rán hòu duì lù sī shuō nǐ néng bu néng bǎ
随手往沙滩上一扔，然后对露丝说：“你能不能把

zhè kē zhēn zhū jiǎn qi lai
这颗珍珠捡起来？”

dāng rán kě yǐ
“当然可以！”

nà nǐ míng bai le ma nǐ xiàn zài hái bù shì
“那你明白了吗？你现在还不是

shén me zhēn zhū zhǐ shì yī kē píng fán ér pǔ
什么珍珠，只是一颗平凡而普

tōng de shā lì suǒ yǐ nǐ bù néng
通的沙砾，所以你不能

kē qiú bié rén lì jí chéng
苛求别人立即承

rèn nǐ rú guǒ nǐ
认你。如果你

想得到别人的承认和重视，就必须想办法变成‘珍珠’才行。”

露丝眨了眨眼睛，有些疑惑地说：“爸爸，我听不懂你说的话。”

“我的意思是，你现在还很平凡，不够优秀，达不到让老师和同学重视你的程度。你要想让大家重视你，就必须努力学习，积累让人重视你的资本才行，光是抱怨和伤心是没有用的。”

露丝听后，若有所思地点了点头，并且将那颗晶莹的珍珠捡起来，放在手里，注视了许久……

勤学魔法棒

一味抱怨环境和人心的改变，并不能使自己得到长足的发展和成长，只有重视自身的不足，努力学习，完善自我，才能使自己在任何环境中散发珍珠般的光泽。

认真的欧阳修

sòng dài zhù míng de
宋代著名的

wén xué jiā ōu yáng xiū yī
文学家欧阳修，一

shēng xiě guo xǔ duō wén zhāng tā
生写过许多文章。他

měi xiě wán yī piān wén zhāng dōu
每写完一篇文章，都

huì fēi cháng rèn zhēn de fǎn fù xiū gǎi gǎi
会非常认真地反复修改，改

dào ràng zì jǐ mǎn yì cái huì zuì hòu dìng gǎo shèn
到让自己满意才会最后定稿，甚

zhì lián xiě yī fēng hěn duǎn de xìn tā yě yī dìng yào
至连写一封很短的信，他也一定要

xiān xiě yī fèn cǎo gǎo gǎi hǎo zhī hòu zài chóng xīn chāo
先写一份草稿，改好之后再重新抄

xiě chu lai rán hòu cái huì jì chu qu
写出来，然后才会寄出去。

如果写的文章比较重要，在写好草稿后，他就会将草稿贴在墙上，每次进出都会看一看，想想如何才能改得更好。

到了晚年，欧阳修开始重新修改自己以前所写的文章。妻子打趣地劝他说：“你为什么要这样辛苦呢？难道还怕教书先生骂你吗？”

欧阳修笑着说道：“我不是怕先生骂，而是害怕会被后人讥笑。”

勤学魔法棒

欧阳修写作多认真呀！有很多小朋友却在学习中非常马虎，是不是很不应该？如果你也能像欧阳修那样认真地对待学习，也一定会取得很大的进步。

三个瓶子

yǒu yī tiān yōu mò de jiào shòu gěi dà jiā shàng le yī táng shí yàn kè
有一天，幽默的教授给大家上了一堂实验课。
jiào shòu dài lai le sān gè píng zi píng zi li zhuāng zhe bù tóng de yè tǐ tóng
教授带来了三个瓶子，瓶子里装着不同的液体。同
xué men dōu bù míng bai jiào shòu xiǎng zuò shén me zhǐ jiàn jiào shòu bǎ sān gè píng zi
学们都不明白教授想做什么。只见教授把三个瓶子
bǎi zài zhuō zi shang xiàng dà jiā jiè shào shuō zhè sān gè píng zi li fēn bié
摆在桌子上，向大家介绍说：“这三个瓶子里分别
zhuāng zhe méi yóu jiǔ jīng hé bì má yóu jīn tiān wǒ men lái
装着煤油、酒精和蓖麻油，今天我们来
liǎo jiě yī xià zhè sān zhǒng yè tǐ hùn hé hòu huì shì
了解一下，这三种液体混合后会是
yī zhǒng shén me wù zhì
一种什么物质。”

随后他把每种液体取了一点儿，倒在一个小瓶子里，然后郑重提醒大家说：“我先尝尝新的液体是什么味道，请大家注意看我的手指。”说完，他把一根手指在小瓶子里的液体中蘸了一下，然后放在嘴里尝了尝，一边尝，一边点头，脸上还露出一种在品尝美味的表情。

随后他让同学们照着他的样子做。大家纷纷迫不及待地把手指伸进小瓶子里蘸一下，然

hòu fàng zài zuǐ li cháng chang dàn shì wú bù lù chu hěn tòng kǔ de biǎo qíng yīn
后放在嘴里尝尝，但是无不露出很痛苦的表情，因
wèi xīn yè tǐ de wèi dào tài zāo gāo le dà jiā xīn li xiǎng jiào shòu zěn me
为新液体的味道太糟糕了！大家心里想：教授怎么
piàn wǒ men ne
骗我们呢？

zhè shí jiào shòu shuō kàn lai nǐ men gāng cái méi yǒu zǐ xì zhù yì wǒ de
这时教授说：“看来你们刚才没有仔细注意我的
dòng zuò wǒ gāng cái zài píng zi li zhàn de shì wǒ de zhōng zhǐ ér fàng zài zuǐ
动作。我刚才在瓶子里蘸的是我的中指，而放在嘴
li cháng de shì wǒ de shí zhǐ ér nǐ men yǐ wéi wǒ fàng zài zuǐ li de réng rán
里尝的是我的食指。而你们以为我放在嘴里的仍然
shì wǒ de zhōng zhǐ wǒ xī wàng dà jiā jì zhù jīn tiān de shí yàn xué xí kē
是我的中指。我希望大家记住今天的实验，学习科
xué zhī shi xū yào shàn yú guān chá cái néng yǒu suǒ fā xiàn dà jiā huǎng rán
学知识需要善于观察，才能有所发现。”大家恍然
dà wù bù tíng de diǎn tóu
大悟，不停地点头。

勤学魔法棒

学习需要善于观察，才能有所发现。如果不善于观察，连最简单的细节都发现不了，就难以找到解题的关键，更难以提高自己的能力了。小朋友，一定要注意培养自己的观察力哟！

三过小木桥

yǒu yī wèi xīn lǐ xué jiā wèi le zhī dào rén de xīn tài dào dǐ huì duì xíng
有一位心理学家，为了知道人的心态到底会对行
wéi chǎn shēng shén me yǐng xiǎng ér zuò le yī gè shí yàn
为产生什么影响，而做了一个实验。

shǒu xiān tā dài lǐng gè tǐ yàn zhě chuān guò yī jiān hēi àn de fáng
首先，他带领 10 个体验者穿过一间黑暗的房
zi zài tā de yǐn dǎo xià zhè gè rén quán dōu shùn lì de chuān guo le
子。在他的引导下，这 10 个人全都顺利地穿过了
fáng jiān
房间。

jiē zhe xīn lǐ xué jiā jiāng fáng li de dēng
接着，心理学家将房里的灯
dǎ kāi le yī zhǎn yú shì zài hūn àn de dēng
打开了一盏。于是，在昏暗的灯
guāng xià zhè gè rén kàn dào le yī xiē jǐng xiàng
光下，这 10 个人看到了一些景象，
dùn shí jīng chu le yī shēn lěng hàn zhè jiān fáng zi de
顿时惊出了一身冷汗。这间房子的

dì miàn qí shí shì yī gè dà shuǐ chí dà shuǐ chí li yǒu shí jǐ tiáo xiōng měng
地面其实是一个大水池，大水池里有十几条凶猛
de dà è yú zhèng zhāng zhe xuè pén dà kǒu hǔ shì dān dān de kàn zhe tā
的大鳄鱼，正张着血盆大口，虎视眈眈地看着他
men shuǐ chí shàng fāng dā zhe yī zuò xiǎo mù qiáo qiáo miàn shí fēn xiá zhǎi tā
们。水池上方搭着一座小木桥，桥面十分狭窄。他
men gāng cái jiù shì cóng nà zuò xiǎo mù qiáo shang zǒu guo qu de
们刚才就是从那座小木桥上走过去的。

xiàn zài nǐ men zhī zhōng hái yǒu shéi yuàn yì zài cì
“现在，你们之中还有谁愿意再次
chuān guo zhè jiān fáng zi xīn lǐ xué jiā wèn
穿过这间房子？”心理学家问。

méi yǒu rén huí dá guò le hěn cháng shí jiān cái
没有人回答。过了很长时间，才
yǒu gè dǎn zi bǐ jiào dà de rén zhàn chu lai màn màn zǒu
有3个胆子比较大的人站出来，慢慢走
shang xiǎo mù qiáo dì yī gè xiǎo xīn yì yì de zǒu le guò
上小木桥。第一个小心翼翼地走了过
qù sù dù míng xiǎn bǐ
去，速度明显比
dì yī cì màn le hěn
第一次慢了很
duō dì èr gè chàn
多；第二个颤
chàn wēi wēi de zǒu zhe
颤巍巍地走着，
zǒu dào yī bàn de shí hou
走到一半的时候，

jìng rán pā zài le xiǎo mù qiáoshang zuì hòu mànmàn pá le guò qù dì sān gè
竟然趴在了小木桥上，最后慢慢爬了过去；第三个
gāngzǒu le jǐ bù jiù pā xia le zài yě bù gǎnwǎngqián yí dòngbàn fēn
刚走了几步就趴下了，再也不敢往前移动半分。

zhè shí xīn lǐ xué jiā yòujiāngfáng nèi de qí tā zhǎn dēng quán bù dǎ
这时，心理学家又将房内的其他 9 盏灯全部打
kāi fáng nèi dùn shí biàn de liàngtángtáng de gè rén kàn dào xiǎo mù qiáo
开，房内顿时变得亮堂堂的，10 个人看到，小木桥
de xià fāng hái zhuāngzhe yī zhāng ān quánwǎng yīn wèi wǎngxiàn de yán sè jí qiǎn
的下方还装着一张安全网，因为网线的颜色极浅，
suǒ yǐ gāng cái tā men méi kàn jiàn
所以刚才他们没看见。

xīn lǐ xué jiā yòu wèn xiàn zài shéi yuàn yì guò zhè zuò xiǎo mù qiáo
心理学家又问：“现在，谁愿意过这座小木桥？”

zhè cì yǒu gè rén zhàn le chū lái xīn lǐ xué jiā wèn zuì hòushèng
这次，有 5 个人站了出来。心理学家问最后剩
xia de liǎng gè rén nǐ men wèi shén me bù yuàn yì guò qu
下的两个人：“你们为什么不愿意过去？”

zhè zhāng ān quánwǎng jiē shi ma liǎng rén yì kǒu tóngshēng de fǎn wèn
“这张安全网结实吗？”两人异口同声地反问。

勤学魔法棒

学习不仅仅是一个智力运用和知识积累的过程，还有很多额外的心理因素。我们要战胜那些对学习不利的心理因素，增强自己的信心，相信自己能把所有难题解决掉，结果你往往会发现，自己居然真的做到了！

三只小鸟

zài yī kē dà shù shang yǒu yī gè niǎo wō lǐ miàn zhù zhe sān zhī xiǎo
在一棵大树上，有一个鸟窝，里面住着三只小

niǎo hé tā men de mā ma sān zhī xiǎo niǎo màn màn zhǎng dà le zhè tiān mā
鸟和它们的妈妈。三只小鸟慢慢长大了。这天，妈

ma duì tā men shuō nǐ men dōu zhǎng dà le zhè ge
妈对它们说：“你们都长大了，这个

niǎo wō yǐ jīng kuài róng bu xià nǐ men le xiàn zài nǐ men
鸟窝已经快容不下你们了。现在，你们

jiù fēi chu qu xún zhǎo zì jǐ chéng jiā lì yè de
就飞出去，寻找自己成家立业的

dì fang ba
地方吧。”

yú shì sān zhī xiǎo niǎo yī qǐ fēi zǒu le
于是，三只小鸟一起飞走了。

tā men fēi le yī duàn jù lí hòu tíng zài
它们飞了一段距离后，停在

yī gè shù shāo shang
一个树梢上

休息。

“哎呀，这里真好，真高！”一只小鸟说，“你们看，那成群的鸡鸭牛羊，甚至连鼎鼎大名的千里马都在羡慕地仰望我们呢！能飞到这样的高度，我们应该满足了！”

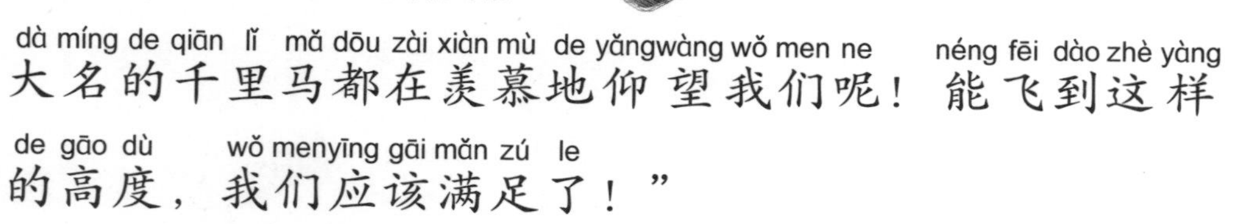

但是，另外两只小鸟都摇着头说：“好吧，既然这个树梢让你很满足，你就留在这里吧。我们还要到更高的地方看看。”

于是，这两只小鸟展开翅膀，向更高更远的地方飞去。它们飞呀飞呀，飞到了五彩斑斓的云里。其中一只感到十分陶醉，情不自禁地引吭高歌。它

mǎn zú de shuō wǒ bù xiǎng zài fēi le dá dào zhè yàng de gāo dù yǐ
满足地说：“我不想再飞了，达到这样的高度，已

jīng hěn liǎo bu qǐ le nǐ jué de ne
经很了不起了！你觉得呢？”

bù wǒ jiān xìn wǒ men néng fēi de gèng gāo lìng yī zhī xiǎo niǎo jiān
“不，我坚信我们能飞得更高。”另一只小鸟坚

dìng de shuō rú guǒ zhè ge gāo dù ràng nǐ hěn mǎn zú nà me nǐ jiù liú zài
定地说，“如果这个高度让你很满足，那么你就留在

zhè li ba dàn fēi cháng yí hàn xiàn zài wǒ zhǐ néng dú zì shàng lù le
这里吧。但非常遗憾，现在我只能独自上路了。”

shuō wán tā jì xù zhèn chì áo xiáng xiàng zhe yún xiāo xiàng zhe tài yáng
说完，它继续振翅翱翔，向着云霄，向着太阳

zhí zhuó de fēi qu
执着地飞去……

zuì hòu tíng liú zài shù shāo shang de xiǎo niǎo chéng le má què zhàn zài
最后，停留在树梢上的小鸟成了麻雀，站在

yún duān de xiǎo niǎo chéng le dà yàn ér fēi xiàng tài yáng de xiǎo niǎo zé chéng le
云端的小鸟成了大雁，而飞向太阳的小鸟则成了

xióng yīng
雄鹰。

勤学魔法棒

如果你的目标仅仅是成为麻雀，那你基本上就只能成为麻雀；如果你的目标是成为大雁，那你就能成为大雁；只有你的目标是成为雄鹰，并为之奋斗，你才可能真正成为雄鹰。目标的高低，决定了成就的高低。

商人巧卖书

yǒu yī gè chū bǎn shāng shǒu li yǒu dà pī zhì xiāo shū hěn cháng shí jiān
有一个出版商，手里有大批滞销书，很长时间
dōu wú fǎ tuō shǒu chū bǎn shāng fēi cháng zháo jí zhěng tiān xiǎng zhe rú hé jiāng
都无法脱手。出版商非常着急，整天想着如何将
zhè pī shū chǔ lǐ chu qu zhè tiān tā kàn dào le yī wèi
这批书处理出去。这天，他看到了一位
zhù míng yǎn yuán pāi de guǎng gào měng rán
著名演员拍的广告，猛然
xiǎng dào míng rén shì rén men xīn mù zhōng
想到：名人是人们心目中
de ǒu xiàng wǎng wǎng yǒu zhe yī hū
的偶像，往往有着一呼
bǎi yìng de néng
百应的能
lì rú guǒ
力，如果
zì jǐ de zhè pī shū
自己的这批书

能与某位名人沾上关系的话，一定会很快卖出去的。于是，他想到了一个绝妙的主意。

他首先送给市长一本书，然后几次三番地向市长征求对这本书的意见。市长忙于政务，不愿意和出版商多纠缠，便随口回了一句：“这本书不错。”

出版商得到市长的“评价”，非常高兴，连忙回去大力宣传：“现有市长喜欢的书出售。”于是，这批书被一抢而空。

过了些日子，这个出版商又有一批书卖不出去了。这次，他又送给市长一本书，并请市长评价。市长上了一次当，想戏弄一下出版商，便故意说：“这本书糟透了！”

出版商却眼珠一转，依然拿市长的话做起了广告：“现有市长讨厌的书出售。”有很多人非常

hào qí shì zhǎng tǎo yàn de shū shì shén me
好奇市长讨厌的书是什么

yàng de suǒ yǐ fēn fēn qián lái gòu mǎi
样的，所以纷纷前来购买，

zhè pī shū hěn kuài yě mài guāng le
这批书很快也卖光了。

bù jiǔ chū bǎn shāng yòu yǒu
不久，出版商又有

shū bù hǎo mài le tā gù jì chóng shī
书不好卖了。他故伎重施，

sòng gěi le shì zhǎng yī běn shū shì zhǎng
送给了市长一本书。市长

jiē shòu le shàng liǎng cì de jiào xùn shén me yě bù kěn zài shuō dàn chū bǎn shāng
接受了上两次的教训，什么也不肯再说。但出版商

yī rán lì yòng shì zhǎng dà zuò guǎng gào shū jū rán yòu bèi yī qiǎng ér kōng
依然利用市长大做广告，书居然又被一抢而空。

zhè cì chū bǎn shāng de guǎng gào yǔ shì xiàn yǒu ràng shì zhǎng nán yǐ
这次，出版商的广告语是："现有让市长难以

gěi chu píng jià de shū chū shòu yù gòu cóng sù
给出评价的书出售，欲购从速。"

勤学魔法棒

这个出版商可真够厉害的，总能及时改变策略，让市长也无可奈何。同样的，学习也要灵活应对，不能死学。小朋友在学习中要多动脑筋，灵活变通，当一种思路行不通的时候，转换一种新的思路，或许问题就解决了。

声音的秘密

布莱士·帕斯卡是法国著名的数学家、物理学家、哲学家和散文家，于1623年出生在法国奥维涅省。他在兄弟姐妹中排行第三，也是家中唯一的男孩儿，从小就特别爱动脑筋，注意观察周围的事物。

有一天吃完晚饭后，小帕斯卡和姐姐收拾餐具。当刀叉和餐具互相碰撞发出

dīngdīng dāngdāng de shēng yīn shí xiǎo pà sī kǎ bèi shēnshēn de xī yǐn zhù
“叮叮当当”的声音时，小帕斯卡被深深地吸引住

le yú shì tā ná qi chā zi zài cì qiāo dǎ pán zi qīng cuì yuè ěr de
了。于是，他拿起叉子再次敲打盘子，清脆悦耳的

shēng yīn lì kè xiǎng qi
声音立刻响起。

jiě jie kàn zhe wán pí de xiǎo pà sī kǎ wèn dào nǐ de xiǎo nǎo dai
姐姐看着顽皮的小帕斯卡，问道：“你的小脑袋

li yòu zài zuó mo shén me ne
里又在琢磨什么呢？”

jiě jie shēng yīn shì zěn me chǎnshēng de ne
“姐姐，声音是怎么产生的呢？”

zhè ge wèn tí duō jiǎn dān a chā zi qiāo dǎ pán zi jiù huì fā chūshēng
“这个问题多简单啊，叉子敲打盘子就会发出声

yīn jiě jie huí dá shuō
音！”姐姐回答说。

xiǎo pà sī kǎ yòu ná qi chā zi qiāo dǎ pán zi fā xiàndāng tā tíng zhǐ
小帕斯卡又拿起叉子敲打盘子，发现当他停止

qiāo dǎ shí shēng yīn bìng méi yǒu mǎ shàng xiāo shī ér shì chí xù le yī duàn shí
敲打时，声音并没有马上消失，而是持续了一段时

jiān zhè yòu shì wèi shén me ne zhè ge wèn tí kě bǎ jiě jie nán zhù le bù
间，这又是为什么呢？这个问题可把姐姐难住了，不

zhī dào gāi rú hé huí dá xiǎo pà sī kǎ zǐ xì fēn biàn zhe shēng yīn de biàn huà
知道该如何回答！小帕斯卡仔细分辨着声音的变化，

tā yòu fā xiàn le yī gè xīn de xiànxiàng dāng tíng zhǐ qiāo dǎ pán zi shí shēng
他又发现了一个新的现象，当停止敲打盘子时，声

yīn suī rán huì yán xù yī duàn shí jiān dàn zhǐ yào yòng shǒu àn zhù pán zi shēng
音虽然会延续一段时间，但只要用手按住盘子，声

yīn jiù lì kè xiāo shī le
音就立刻消失了，
ér qiě shǒu zhǐ huì gǎn dào
而且手指会感到
wēi wēi fā má
微微发麻。

tōng guò bù duàn de
通过不断地
guān chá shì yàn sī
观察、试验、思
kǎo xiǎo pà sī kǎ zhōng
考，小帕斯卡终
yú dé chu jié lùn shēng yīn bìng bù shì yī kào dǎ jī chuán sòng de ér shì
于得出结论：声音并不是依靠打击传送的，而是
yī kào zhèn dòng chuán sòng de dǎ jī tíng zhǐ shí zhǐ yào hái yǒu zhèn dòng
依靠振动传送的。打击停止时，只要还有振动，
jiù yī dìng néng fā chū shēng yīn zhè jiù shì zhù míng de shēng xué zhèn dòng yuán
就一定能发出声音。这就是著名的声学振动原
lǐ xiǎo pà sī kǎ fā xiàn tā shí cái gāng gāng suì
理，小帕斯卡发现它时才刚刚11岁。

勤学魔法棒

刀叉与盘子发生碰撞而产生声音，这是一个再寻常不过的现象了，可是爱观察、爱思考的小帕斯卡却能从中得到启发，发现声学振动原理。小朋友，在我们的生活中，许多普通的事情背后，可能也蕴藏着不为人知的真理啊！

生病的收获

yè fán gǎn mào le sǎng zi fā yán fā qǐ shāo lai yī shēng gěi tā
叶凡感冒了，嗓子发炎，发起烧来。医生给他
kāi le yào gào su tā yào zài jiā xiū xi zhì shǎo yī gè xīng qī zhè kě bǎ yè
开了药，告诉他要在家休息至少一个星期。这可把叶
fán jí huài le yīn wèi tā men kuài yào qī mò kǎo shì le dān wù yī gè duō xīng
凡急坏了，因为他们快要期末考试了，耽误一个多星
qī de kè chéng sǔn shī shì fēi cháng dà de
期的课程，损失是非常大的。

tā rén tǎng zài chuáng shang xīn què zǎo yǐ fēi xiàng le xué xiào jí de
他人躺在床上，心却早已飞向了学校，急得
zuò wò nán ān gāi zěn me bàn ne mā ma zhī dào tā de kùn rǎo shuō le yī
坐卧难安。该怎么办呢？妈妈知道他的困扰，说了一
jù nǐ kě yǐ zì jǐ zài jiā xué xí ya
句：“你可以自己在家学习呀。”

duì ya jiù zhè me bàn yè fán dùn shí jué de huò rán kāi lǎng
“对呀，就这么办！”叶凡顿时觉得豁然开朗，
fǎn zhèng shàng kè de mù dì jiù shì wèi le huì zuò tí zhǐ yào néng bǎ tí zuò
“反正上课的目的就是为了会做题，只要能把题做

duì le zì jǐ zài jiā li xué xí yě shì
对了，自己在家里学习也是
yī yàng de wǒ kě bù néng bèi tóng xué
一样的。我可不能被同学
men là xia le
们落下了！”

tā jué dìng zì xué tā bǎ suǒ yǒu
他决定自学。他把所有
kè běn cān kǎo shū hé xí tí tǒngtǒng bǎi
课本、参考书和习题统统摆
zài chuángbiān yī mén yī mén de zì xué
在床边，一门一门地自学。
xiān kàn kè běn zài zuān yán cān kǎo shū
先看课本，再钻研参考书，
zuì hòu zuò xí tí tóng shí tā hái dǎ diàn huà gěi zì jǐ
最后做习题……同时，他还打电话给自己
de tóng xué wèn tā men jīn tiān lǎo shī jiǎng le nǎ xiē nèi róng nǎ xiē nèi róng
的同学，问他们：今天老师讲了哪些内容？哪些内容
shì kè běnshang méi yǒu de nǎ xiē nèi róng shì lǎo shī tè bié qiángdiào de
是课本上没有的？哪些内容是老师特别强调的？……

yè fán fā xiàn zài jiā zì xué de xiào guǒ jū rán bǐ zài xué xiào tīng jiǎng shí
叶凡发现，在家自学的效果居然比在学校听讲时
xiào lǜ hái gāo yīn wèi lǎo shī zài jiǎng kè shí wèi le zhào gù shuǐpíng bù tóng
效率还高。因为老师在讲课时，为了照顾水平不同
de tóng xué jiǎng kè sù dù jiù bù huì tài kuài yǒu shí tā yǐ jīng míng bai de wèn
的同学，讲课速度就不会太快，有时他已经明白的问
tí lǎo shī hái zài fān lái fù qù de jiǎng yǒu shí tā hái méi tīng dǒng lǎo shī
题，老师还在翻来覆去地讲；有时他还没听懂，老师

却一带而过。而在家自己学习就不一样了，不会的就多用点时间，会的就少用点时间，学习目的更加明确，因此注意力也更加集中，学习兴趣更浓厚，学习效果自然更好。

生病期间，叶凡不仅把所有习题都做了一遍，还从头到尾做了一遍以前做错的题目。

病好后，叶凡参加了期末考试，名次不但没下降，反而上升了。老师惊讶地问他有什么秘诀，他说了自己在家自学的情况，最后说："因为这次生病，让我学会了自学，还让我知道了学习可以有很多乐趣，这是我这次生病的最大收获。"

勤学魔法棒

在现实生活中，情况复杂多变，根据变化及时调整计划是非常必要的。在学习中，也要根据不同情况，及时调整学习策略和方法。自学能力是个很重要的能力，它是拉开每个人之间学习差距的重要因素，所以一定要重视。

“生字大王”是怎样炼成的

xiǎo yǔ diǎn shì quán bān yǒu míng de shēng zì dà wáng měi cì tīng xiě shēng
小雨点是全班有名的“生字大王”，每次听写生

zì dōu bù huì chū cuò tóng xué men dōu hěn xiàn mù tā fēn fēn xiàng tā qǐng jiào
字都不会出错。同学们都很羡慕她，纷纷向她请教。

xiǎo yǔ diǎn shuō wǒ de dì yī zhǒng fāng fǎ shì cāi zì mí lì rú jì
小雨点说：“我的第一种方法是猜字谜。例如记

hǎn zì wǒ yòng de zì mí shì jiā
‘喊’字，我用的字谜是‘加

yī bàn jiǎn yī bàn zuǒ biān
一半，减一半’，左边

wéi jiā de yī bàn yòu biān
为‘加’的一半，右边

shì jiǎn de yī bàn zhè yàng
是‘减’的一半，这样

wǒ yī xià zi jì zhù
我一下子记住

le gè zì
了3个字。”

dà jiā dōu jué de hěn yǒu qù mángwèn nà nǐ de dì èr zhǒngfāng
大家都觉得很有趣，忙问：“那你的第二种方

fǎ ne
法呢？”

yǒu xǔ duō hàn zì kàn qi lai chà bu duō jiā yī bǐ huò jiǎn yī bǐ jiù
“有许多汉字看起来差不多，加一笔或减一笔就

biànchéng le lìng yī gè zì lì rú miǎn zì jiā yī bǐ jiù biànchéng le
变成了另一个字。例如：‘免’字加一笔就变成了

tù huàn zì jiā yī piě jiù biànchéng le yòu lìng wài wǒ hái
‘兔’，‘幻’字加一撇就变成了‘幼’。另外，我还

huì lì yòng gē yáo lái jì shēng zì lì rú diǎn shù héng xū kōng
会利用歌谣来记生字，例如：点‘戍’横‘戌’空

zhōng wù èr shí wéi jiè shí wéi róng zhèyàng yī xià zi jiù
中‘戊’，二十为‘戒’，十为‘戎’。这样一下子就

jì zhù le gè xiāng sì de zì
记住了5个相似的字。”

dà jiā fēn fēn chēng zàn xiǎo yǔ diǎn de fāng fǎ hǎo dàn xiǎo yǔ diǎnshuō
大家纷纷称赞小雨点的方法好。但小雨点说，

zhè xiē fāng fǎ zhǐ néng qǐ fǔ zhù zuòyòng zuì zhǔ yào de hái shi duō kàn
这些方法只能起辅助作用，最主要的还是：“多看、

duō xiě duōyòng
多写、多用！”

勤学魔法棒

小朋友，小雨点介绍的方法你记住了几个？其实，记忆汉字还有一些其他的方法，你可以多去请教别人。要想成为“汉字大王”，更重要的是，要记住小雨点最后的话——“最主要的还是：‘多看、多写、多用！’”

束缚水牛的“木桩”

一天，一位青年经过一块农田时，看到一个老农把一头大水牛拴在一根小木桩上，就走上前去，关切地对老农说：“大伯，你把大水牛拴在这样一根小木桩上，它会跑掉的。”

老农呵呵一笑，非常肯定地说：“它不会跑掉的，它一直是这样被拴着的，从来不会跑掉。”

“为什么会这样呢？”

qīngnián yǒu xiē yí huò de wèn zhè me yī gēn xiǎo xiǎo de mù zhuāng dà shuǐ niú
青年有些疑惑地问，“这么一根小小的木桩，大水牛
zhǐ yào shāo shāo yòng yī diǎn lì bù jiù bǎ tā bá chu lai le ma
只要稍稍用一点力，不就把它拔出来了吗？”

lǎo nóng kào jìn qīngnián pā zài tā de ěr biān hǎo xiàng pà dà shuǐ niú
老农靠近青年，趴在他的耳边，好像怕大水牛
tīng jiàn shì de yā dī shēng yīn shuō gào su nǐ ba xiǎo huǒ zi dāng zhè
听见似的，压低声音说：“告诉你吧，小伙子，当这
tóu shuǐ niú hái shi xiǎo niú dú de shí hou wǒ jiù bǎ tā shuān zài
头水牛还是小牛犊的时候，我就把它拴在
zhè gēn mù zhuāng shang le gāng kāi shǐ tā bù xiàng xiàn zài
这根木桩上了。刚开始，它不像现在
zhè me lǎo shi zǒng xiǎng cóng mù zhuāng shang zhèng
这么老实，总想从木桩上挣
tuō chu qu dàn nà shí tā de lì qi hái
脱出去。但那时它的力气还
hěn xiǎo zhǐ néng zài yuán dì dǎ zhuàn
很小，只能在原地打转，
zhē teng le yī zhèn zi tā biàn bù
折腾了一阵子，它便不
zài fèi jìn le hòu lái tā zhǎng
再费劲了。后来，它长
dà le lì qi yě dà le hěn
大了，力气也大了很
duō què zài yě méi yǒu
多，却再也没有
xīn si gēn zhè gēn mù
心思跟这根木

zhuāngdòu le jiù yī zhí ān ān wěnwěn de dāi zhe yǒu yī cì wǒ ná zhe
桩斗了，就一直安安稳稳地待着。有一次，我拿着
cǎo liào lái wèi tā gù yì jiāng cǎo liào fàng zài tā gòu bu zháo de dì fang wǒ
草料来喂它，故意将草料放在它够不着的地方。我
xiǎng tā kěn dìng huì zhèng tuō mù zhuāng qù chī cǎo liào de dàn shì tā zhǐ
想：它肯定会挣脱木桩去吃草料的。但是，它只
shì jiào le liǎngshēng jiù zhàn zài yuán dì kě lián bā bā de wàngzhe cǎo liào gēn
是叫了两声，就站在原地可怜巴巴地望着草料，根
běn bù qù nǔ lì
本不去努力。”

tīng le lǎo nóng de huà qīngnián dùn shí lǐng wù dào yuán lái shù fù
听了老农的话，青年顿时领悟到：原来，束缚
zhè tóu shuǐ niú de bìng bù shì nà gēn xiǎo xiǎo de mù zhuāng ér shì tā zǎo yǐ xí
这头水牛的并不是那根小小的木桩，而是它早已习
guàn le de sī wéi dìng shì wéi zhe xiǎo mù zhuāng dǎ zhuàn bù néng lí kāi xiǎo
惯了的思维定式；围着小木桩打转，不能离开小
mù zhuāng shì tā shēngmìng de yī bù fen shì tā bì xū zūn xún de shēng huó
木桩，是它生命的一部分，是它必须遵循的生活
guī zé
规则。

勤学魔法棒

大水牛有一根束缚它的“木桩”，恐怕很多人心中也有一根束缚自己的“木桩”，那就是思维定式，也就是解决问题时习惯用老办法、老思路，而不去寻求新办法、新思路。这样去学习，很难有所突破。学习中遇到了一时解决不了的问题，一定要勇于突破原有的思路，创造性地对待，结果往往会有新的发现。

死记硬背的小老鼠

xiǎo lǎo shǔ zhǎng dà le shǔ mā ma zhǔn bèi ràng tā dú zì chū qu mì shí
小老鼠长大了，鼠妈妈准备让它独自出去觅食。
zài cǐ zhī qián shǔ mā ma gěi xiǎo lǎo shǔ shàng le yī táng kè jiāo tā rú hé
在此之前，鼠妈妈给小老鼠上了一堂课，教它如何
duǒ bì wài miàn de wēi xiǎn
躲避外面的危险。

shǔ mā ma ná lai yī gè māo de mó xíng shuō
鼠妈妈拿来一个猫的模型，说：
zhè zhǒng dòng wù jiào māo huì miāo miāo
“这种动物叫‘猫’，会‘喵喵’
de jiào zǒu lù shí jī hū bù huì fā
地叫，走路时几乎不会发
chū shēng yīn zhǎng zhe jiān lì de zhuǎ
出声音，长着尖利的爪
zi hé yá chǐ shì wǒ men zuì wēi xiǎn
子和牙齿，是我们最危险
de dí rén kàn dào tā nǐ yī dìng yào
的敌人，看到它，你一定要

yuǎnyuǎn de duǒ kai nǐ zǐ xì guānchá yī xià zhè ge mó xíng jì qīng chu māo
远远地躲开！你仔细观察一下这个模型，记清楚猫
de yàng zi
的样子。”

xiǎo lǎo shǔ láo láo de jiāngmāo de yàng zi jì zài le xīn zhōng rán hòu jiù
小老鼠牢牢地将猫的样子记在了心中，然后就
dú zì chū qu mì shí le
独自出去觅食了。

xiǎo lǎo shǔ cóng wō li pá le chū lái fā xiàn wài miàn shì yī gè hěn dà
小老鼠从窝里爬了出来，发现外面是一个很大
de wū zi tā de xiǎo yǎn jing dī liū liū de sì chù luànzhuànzhe xúnzhǎozhe
的屋子。它的小眼睛滴溜溜地四处乱转着，寻找着
shí wù hū rán tā fā xiàn le zhuō zi xià miàn de yī dié zi niú nǎi
食物。忽然，它发现了桌子下面的一碟子牛奶！

xiǎo lǎo shǔ xiǎng lì jí pǎo guo qu hū rán fā xiàn niú nǎi pángbiān hái pā
小老鼠想立即跑过去，忽然发现牛奶旁边还趴
zhe yī zhī páng dà de dòng wù zhǎngzhe xuě bái de máo zhèng zài shuì jiào
着一只“庞大”的动物，长着雪白的毛，正在睡觉，
fā chū hū lū hū lū de shēng yīn shì yī zhī māo
发出“呼噜呼噜”的声音（是一只猫）。

xiǎo lǎo shǔ jué de nà zhī dòng wù zhǎng de yǒu diǎnxiàngmāo dàn yòu bù tài
小老鼠觉得那只动物长得有点像猫，但又不太
xiàng tā xiǎng mā ma shuōmāo huì miāomiāo de jiào dàn zhè zhī dòng
像。它想：“妈妈说猫会‘喵喵’地叫，但这只动
wù fā chū de shì hū lū hū lū de shēng yīn ér qiě tā de máo bù shì
物发出的是‘呼噜呼噜’的声音，而且它的毛不是
zōng sè dài hēi tiáo wén de yě méi yǒu jiān lì de zhuǎ zi shuì jiào shí suō jin
棕色带黑条纹的，也没有尖利的爪子（睡觉时缩进

qu le tā yī dìng bù shì māo
去了）。它一定不是猫！”

xiǎng dào zhè li xiǎo lǎo shǔ dà dǎn de pǎo dào
想到这里，小老鼠大胆地跑到
dié zi páng měi měi de hē qi niú nǎi le hū
碟子旁，美美地喝起牛奶了。忽
rán nà zhī māo zhēng kai le yǎn jing miāo
然，那只猫睁开了眼睛，“喵”
de jiào le yī shēng yǐ xùn léi bù jí yǎn ěr zhī
地叫了一声，以迅雷不及掩耳之
shì pū xiàng xiǎo lǎo shǔ xiǎo lǎo shǔ hái méi
势扑向小老鼠。小老鼠还没
míng bai shì zěn me huí shì jiù bèi
明白是怎么回事，就被
māo zhuā zhù le
猫抓住了……

勤学魔法棒

小老鼠没有真正理解猫是什么样子的，只是死记硬背了妈妈教给它的知识，结果猫稍稍变了个样，它就不认识了。小朋友在学习时可千万不能只是死记硬背啊，一定要加强理解，活学活用，这样才能真正掌握知识，考试时不管题型怎样变化，也都难不住你。

贪心的蜈蚣

jù shuō wú gōng qǐ chū xiàng shé yī yàng shì méi yǒu jiǎo de dàn tā pá de
据说蜈蚣起初像蛇一样是没有脚的，但它爬得
hěn kuài rì zi guò de yě hěn kuài lè kě shì yǒu yī tiān tā cóng zì jǐ jū
很快，日子过得也很快乐。可是有一天，它从自己居
zhù de xiǎo cūn zi pá jin le yī gè shù lín kàn dào le líng yáng méi huā lù
住的小村子爬进了一个树林，看到了羚羊、梅花鹿
děng dòng wù dōu bǐ zì jǐ pǎo de kuài xīn li hěn bù gāo xìng biàn qǐng qiú shàng
等动物都比自己跑得快，心里很不高兴，便请求上
dì shuō shàng dì a nǐ tài piān xīn le yī zhī jiǎo dōu méi gěi wǒ zào
帝说："上帝啊，你太偏心了，一只脚都没给我造，
què gěi líng yáng méi huā lù děng dòng wù zào le sì zhī jiǎo tā men bǐ wǒ pǎo
却给羚羊、梅花鹿等动物造了四只脚，它们比我跑
de kuài duō le wǒ xī wàng néng yōng yǒu bǐ qí tā dòng wù gèng duō de jiǎo
得快多了。我希望能拥有比其他动物更多的脚。"

shàng dì shuō hǎo ba jì rán nǐ zhè me shuō wǒ jiù dā ying nǐ de
上帝说："好吧，既然你这么说，我就答应你的
qǐng qiú nǐ xiǎng yào duō shao zhī jiǎo dōu kě yǐ shuō wán shàng dì jiāng hǎo
请求。你想要多少只脚都可以。"说完，上帝将好

duō zhī jiǎo fàng zài wú gōng miàn qián
多只脚放在蜈蚣面前。

tài hǎo le zhǐ yào wǒ yǒu le zhè xiē jiǎo
“太好了！只要我有了这些脚，

yī dìng huì bǐ nà xiē dòng wù pǎo de gèng
一定会比那些动物跑得更

kuài wú gōng huān hū zhe pò bù jí dài
快！”蜈蚣欢呼着，迫不及待

de ná qi nà xiē jiǎo yī zhī yī zhī de
地拿起那些脚，一只一只地

tiē dào zì jǐ de shēn tǐ shang yī zhí
贴到自己的身体上，一直

cóng tóu tiē dào wěi zhí dào zài yě
从头贴到尾。直到再也

méi yǒu dì fang kě tiē le tā
没有地方可贴了，它

cái liàn liàn bù shě de tíng xia lai
才恋恋不舍地停下来。

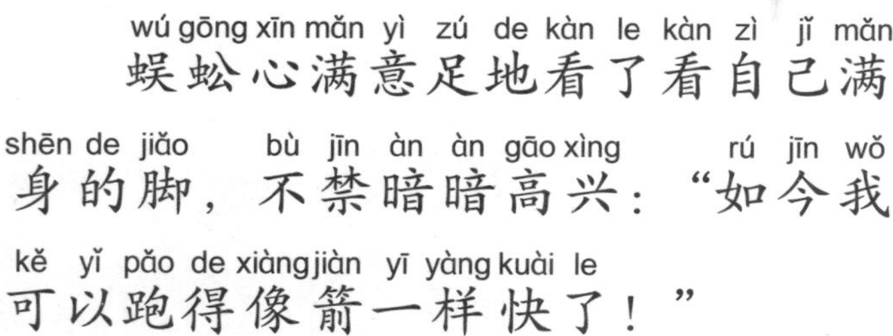

wú gōng xīn mǎn yì zú de kàn le kàn zì jǐ mǎn
蜈蚣心满意足地看了看自己满

shēn de jiǎo bù jīn àn àn gāo xìng rú jīn wǒ
身的脚，不禁暗暗高兴：“如今我

kě yǐ pǎo de xiàng jiàn yī yàng kuài le
可以跑得像箭一样快了！”

rán ér dāng kāi shǐ pǎo bù shí tā
然而，当开始跑步时，它

cái fā xiàn zì jǐ gēn běn wú fǎ kòng zhì zhè me
才发现自己根本无法控制这么

duō de jiǎo zhè xiē jiǎo gè zǒu gè de zǒng shì pī li pā lā de bàn zài yī
多的脚。这些脚各走各的，总是噼里啪啦地绊在一
qǐ wú gōng měi zǒu yī bù dōu bì xū yào wàn fēn xiǎo xīn yǐ fáng zhǐ nà yī dà
起。蜈蚣每走一步都必须要万分小心，以防止那一大
duī jiǎo hù xiāng bàn dǎo zhè yàng yī lái wú gōng fǎn ér bǐ yǐ qián pǎo de màn
堆脚互相绊倒。这样一来，蜈蚣反而比以前跑得慢
le hěn duō hěn duō
了很多很多。

wú gōng fēi cháng hòu huǐ zài cì qǐng qiú shàng dì shàng dì a qǐng
蜈蚣非常后悔，再次请求上帝：“上帝啊，请
nǐ bāng wǒ ná diào zhè xiē jiǎo ba wǒ qíng yuàn xiàng yǐ qián yī yàng méi yǒu jiǎo
你帮我拿掉这些脚吧，我情愿像以前一样没有脚。”

shàng dì shuō zhè xiē jiǎo nǐ yī dàn tiē zài shēn shang jiù zài yě ná bu
上帝说：“这些脚你一旦贴在身上就再也拿不
xià lái le jiù suàn shì wǒ yě méi yǒu bàn fǎ
下来了，就算是我，也没有办法。”

勤学魔法棒

蜈蚣的这种做法，很像有些小朋友的做法哦。看到别人买了英语学习机，也赶紧让爸爸去买；看到别人报了兴趣班，便也想报……最后什么都没做成。原因在于没有抓住学习的关键，贪多，跟风，不管是不是适合自己都上，结果就只能是瞎忙活了。学习很忌盲目性的。

跳蚤的压力

tiào zao shàn yú tiào yuè tiào de gāo dù shèn zhì kě dá tā tǐ cháng de
跳蚤善于跳跃，跳的高度甚至可达它体长的350
bèi zuǒ yòu xiāng dāng yú yī gè rén tiào guò yī zhěng gè zú qiú chǎng chēng de
倍左右，相当于一个人跳过一整个足球场，称得
shàng shì dòng wù jiè de tiào gāo guàn jūn
上是动物界的跳高冠军。

tiào zao wèi shén me huì tiào de zhè yàng gāo yī gè dà xué jiào shòu wèi le
跳蚤为什么会跳得这样高？一个大学教授为了
yán jiū zhè ge wèn tí zhuān mén zhuā le yī zhī tiào zao jìn xíng yán jiū dàn shì
研究这个问题，专门抓了一只跳蚤进行研究。但是
tā yán jiū le yī zhěng tiān yě méi zhǎo dào dá àn
他研究了一整天，也没找到答案。

lín xià bān de shí hou jiào shòu wèi le fáng zhǐ nà zhī tiào zao táo zǒu suí
临下班的时候，教授为了防止那只跳蚤逃走，随
shǒu yòng yī gè mǐ gāo de bō li zhào zhào zhù le tā rán hòu lí kāi le shí
手用一个1米高的玻璃罩罩住了它，然后离开了实
yàn shì
验室。

nà tiān wǎnshang tiào zao wèi le táo zǒu bù tíng de tiào a tiào a dàn
那天晚上，跳蚤为了逃走，不停地跳啊跳啊，但
bù lùn tā zěn me nǔ lì dōu zài tiào dào mǐ gāo de shí hou bèi bō li zhào
不论它怎么努力，都在跳到1米高的时候被玻璃罩
dǎng le xià lái yī cì cì bèi zhuàng shǐ tiào zao kāi shǐ biàn de cōngmíng qi lai
挡了下来。一次次被撞，使跳蚤开始变得聪明起来
le tā kāi shǐ gēn jù bō li zhào de gāo dù lái tiáo zhěng zì jǐ tiào de gāo dù
了，它开始根据玻璃罩的高度来调整自己跳的高度。

dì èr tiān jiào shòu shàng bān hòu qǔ xia le bō li zhào tā jīng qí
第二天，教授上班后，取下了玻璃罩。他惊奇
de fā xiàn zhè zhī tiào zao jū rán zhǐ néng tiào mǐ gāo le jiào shòu fēi cháng
地发现，这只跳蚤居然只能跳1米高了。教授非常
xīng fèn zhè tiān xià bān shí tā yòu jiāng tiào zao zhào zài yī gè lí mǐ gāo
兴奋。这天下班时，他又将跳蚤罩在一个50厘米高
de bō li zhào nèi
的玻璃罩内。

dì sān tiān shàng bān hòu jiào shòu fā xiàn tiào zao zuì gāo
第三天上班后，教授发现跳蚤最高
zhǐ néng tiào lí mǐ le xià bān qián jiào shòu jiāng
只能跳50厘米了。下班前，教授将
tiào zao zhào zài yī gè lí mǐ gāo de bō li zhào li
跳蚤罩在一个20厘米高的玻璃罩里；
dì sì tiān tiào zao tiào de gāo dù yòu
第四天，跳蚤跳的高度又

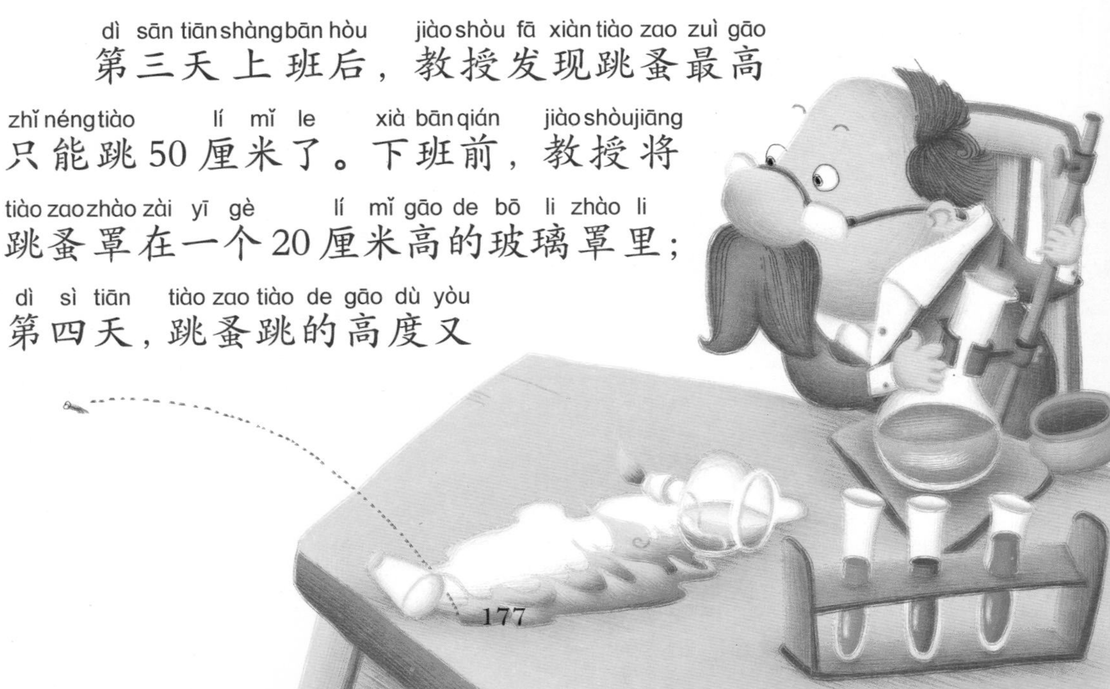

下降为20厘米……

一周之后，这只可怜的跳蚤还在一个玻璃杯里不停地跳着，但它已经无法跳出这个玻璃杯了。

教授又忙于其他的试验去了。忽然，教授不小心碰倒了桌上的一盏酒精灯，并打翻了装着跳蚤的玻璃杯，跳蚤爬到了桌面上。火迅速燃烧起来，并向着跳蚤的方向蔓延过去。就在火马上要烧到跳蚤的那一刻，奇迹出现了——跳蚤猛地一跳，又跳到了它自己体长350倍左右的高度。

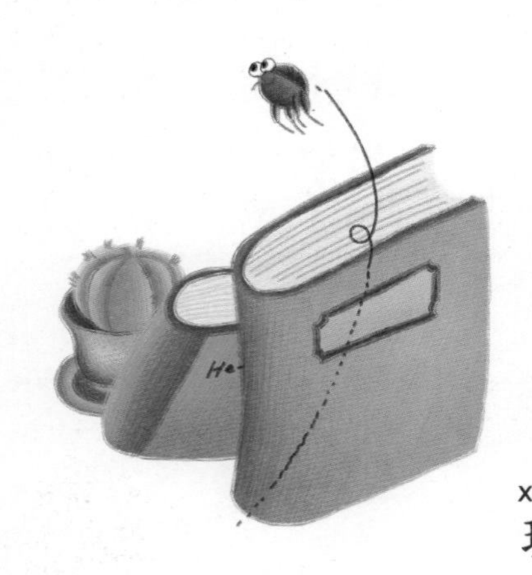

勤学魔法棒

跳蚤在火的压力下，恢复了以往的跳跃高度。同样，人的潜力也往往都是在有压力的情况下才能被激发出来。适当地给自己一些压力，如在规定的时间内完成作业，这能让你的学习更快得到提高哦。

同样一斤米

yǒu yī gè qīng nián fēi cháng kǔ nǎo de xiàng yī wèi chán shī qǐng
有一个青年非常苦恼地向一位禅师请
jiào dà shī yǒu rén chēng zàn wǒ shì yī gè tiān cái jiāng lái
教：“大师，有人称赞我是一个天才，将来
bì dìng huì yǒu yī fān zuò wéi dàn shì yě yǒu rén mà wǒ shì gè
必定会有一番作为。但是，也有人骂我是个
bèn dàn zhè bèi zi yě bù huì yǒu shén me chū xi
笨蛋，这辈子也不会有什么出息。
yī nǐ kàn dà shī wǒ dào dǐ
依你看，大师，我到底
shì tiān cái hái shi bèn dàn ne
是天才还是笨蛋呢？”

nà me nǐ shì
“那么，你是
rú hé kàn dài zì jǐ
如何看待自己
de ne chán shī fǎn wèn
的呢？”禅师反问。

qīngnián yī liǎn máng rán de yáo le yáo tóu
青年一脸茫然地摇了摇头，

shuō wǒ bù zhī dào
说："我不知道。"

wǒ xiàn zài xiān bù huí dá nǐ de wèn tí
"我现在先不回答你的问题，"

chán shī shuō xiān gěi nǐ dǎ yī gè bǐ fang bǐ
禅师说，"先给你打一个比方。比

rú tóngyàng yī jīn mǐ rú guǒ yòng bù tóng de
如，同样一斤米，如果用不同的

yǎn guāng qù kàn tā de jià zhí yě huì jié rán bù tóng zài jiā tíng zhǔ fù yǎn
眼光去看，它的价值也会截然不同。在家庭主妇眼

zhōng tā bù guò shì néng zuò liǎng sān wǎn mǐ fàn bà le zài mài zòng
中，它不过是能做两三碗米饭罢了；在卖粽

zi de rén yǎn zhōng jiāng tā bāo zā chéng zòng zi yǐ
子的人眼中，将它包扎成粽子以

hòu néng gòu mài yuán qián zài zhì zuò
后，能够卖5元钱；在制作

bǐng gān de rén yǎn zhōng néng yòng tā
饼干的人眼中，能用它

jiā gōng chéng bǐng gān mài yuán qián zài wèi jīng chǎng jiā kàn
加工成饼干，卖8元钱；在味精厂家看

lai tā néng gòu tí liàn chu wèi jīng mài yuán qián
来，它能够提炼出味精，卖10元钱；

zài niàng jiǔ de shāng rén yǎn zhōng tā néng niàng chéng
在酿酒的商人眼中，它能酿成

jiǔ mài yuán qián rán ér mǐ hái shi
酒，卖40元钱……然而，米还是

同样的那斤米。”

禅师停顿了一下，然后接着说：“同样是你这个人，有人将你抬得很高，也有人将你贬得很低。而事实上，你就是你。你到底会有多大出息，不在于别人怎么看你，而取决于你是如何看待自己的。”

青年听了，豁然开朗。

勤学魔法棒

小朋友，是不是也有人夸你很聪明，学习会很好；也有人觉得你不够聪明，很难有长进？不管别人怎样说你，都不要在意，重要的是想办法把自己的学习潜力挖掘出来，努力做到最好。这时你会发现，每个人都可以是天才。

想做鹰的乌鸦

yī zhī hēi huī xiāng jiàn de xióng yīng zhèng
一只黑灰相间的雄鹰正

zài mì shí tā kàn dào xuán yá xià yǒu yī zhī xiǎo
在觅食。它看到悬崖下有一只小

yáng gāo yú shì cóng kōng zhōng měng pū xia lai
羊羔，于是从空中猛扑下来，

zhuā qi yáng gāo biàn fēi zǒu le zhěng gè guò chéng zhōng xióng yīng xíng
抓起羊羔便飞走了。整个过程中，雄鹰行

dòng líng lì xùn měng dòng zuò yōu měi lián páng biān de mù yáng rén dōu fā chū le
动凌厉迅猛，动作优美。连旁边的牧羊人都发出了

zàn tàn shēng yī shí wàng jì le xióng yīng zhuā zǒu de jiù shì zì jǐ de yáng
赞叹声，一时忘记了雄鹰抓走的就是自己的羊。

páng biān de yī zhī wū yā kàn le fēi cháng xiàn mù yě xiǎng xiàng xióng
旁边的一只乌鸦看了，非常羡慕，也想像雄

yīng nà yàng bǔ shí yú shì tā hū lā lā měng pū dào yī tóu zhǎng mǎn nóng mì yáng
鹰那样捕食。于是它呼啦啦猛扑到一头长满浓密羊

máo de dà yáng bèi shang yě xiǎng bǎ nà zhī yáng zhuā zǒu rán ér tā bù dàn méi
毛的大羊背上，也想把那只羊抓走。然而它不但没

néngzhuā zǒu nà zhī yáng fǎn ér bèi yáng máo chán
能抓走那只羊，反而被羊毛缠

zhù le zhuǎ zi zhèng zài tā pīn mìng zhēng zhá de
住了爪子。正在它拼命挣扎的

shí hou mù yáng rén zǒu le guò lái yī bǎ bǎ
时候，牧羊人走了过来，一把把

tā zhuā zhù le mù yáng rén jiǎn diào wū yā
它抓住了。牧羊人剪掉乌鸦

de yǔ máo jiāo gěi hái zi men wán
的羽毛，交给孩子们玩

shuǎ hái zi men wèn zhè shì zhī shén
耍。孩子们问这是只什

me niǎo mù yáng rén shuō
么鸟，牧羊人说：

zhè shì zhī xiǎng zuò xióng yīng
“这是只想做雄鹰

méi zuò chéng de wū yā
没做成的乌鸦。”

勤学魔法棒

这个故事让我们明白：要用适合自己的方法达到目标。学习同样如此，要采取适合自己的途径和方法来获取知识。相互学习时，不要照抄照搬，盲目模仿，要注意结合自己的特点。

心理学家的实验

nián měi guó xīn lǐ xué jiā bā nà tè yǐ dà xué shēng wéi duì xiàng
1981年，美国心理学家巴纳特以大学生为对象
zuò le yī zǔ shí yàn lái yán jiū zuò bǐ jì yǔ bù zuò bǐ jì duì tīng kè xué xí
做了一组实验，来研究做笔记与不做笔记对听课学习
de yǐngxiǎng
的影响。

bā nà tè shǒu xiān jiāng dà xué shēng fēn chéng gè xiǎo zǔ měi zǔ yǐ bù
巴纳特首先将大学生分成3个小组，每组以不
tóng de fāng shì jìn xíng xué xí
同的方式进行学习。

jiǎ zǔ shì zuò zhāi yào zǔ tā men bèi yāo qiú yī biān tīng kè yī
甲组是“做摘要组”，他们被要求一边听课，一
biān zhāi chu yào diǎn yǐ zǔ shì kàn zhāi yào zǔ tā men zài tīng kè de tóng
边摘出要点；乙组是“看摘要组”，他们在听课的同
shí néng kàn dào shì xiān yǐ jīng liè hǎo de yào diǎn dàn shì zì jǐ bù dòng shǒu
时，能看到事先已经列好的要点，但是自己不动手
xiě bǐng zǔ shì wú zhāi yào zǔ tā men zhǐ shì dān chún tīng kè jì kàn
写；丙组是“无摘要组”，他们只是单纯听课，既看

不到有关的要点，也不用动手去写。

然后，学习同样的内容之后，对所有学生进行回忆测验，检查他们对文章的记忆效果。

实验当天，测试人将一篇由1800个单词组成的、介绍美国公路发展史的文章，以每分钟120个词的中等速度分别读给3组人听。

tīng wán zhī hòu bā nà tè duì suǒ yǒu dà xué shēng jìn xíng le huí yì cè yàn
听完之后，巴纳特对所有大学生进行了回忆测验，
jiǎn yàn tā men duì zhè piān wén zhāng jì zhù le duō shǎo
检验他们对这篇文章记住了多少。

shí yàn jié guǒ shì zhè yàng de jiǎ zǔ de dà xué shēng jí zài tīng kè
实验结果是这样的：甲组的大学生，即在听课
de tóng shí zì jǐ dòng shǒu xiě zhāi yào de dà xué shēng jì zhù de dōng xi zuì
的同时自己动手写摘要的大学生，记住的东西最
duō yǐ zǔ de dà xué shēng jí zài tīng kè de tóng shí kàn zhāi yào dàn zì
多；乙组的大学生，即在听课的同时看摘要、但自
jǐ bù dòng shǒu xiě de dà xué shēng jì zhù de dōng xi yào shǎo yī xiē ér bǐng
己不动手写的大学生，记住的东西要少一些；而丙
zǔ de dà xué shēng zhǐ shì dān chún tīng jiǎng ér bù zuò bǐ jì jì zhù de
组的大学生——只是单纯听讲而不做笔记，记住的
dōng xi zuì shǎo
东西最少。

zhè biǎo míng zuò bǐ jì duì tīng kè xué xí hái shi yǒu yī dìng zuò yòng de
这表明，做笔记，对听课学习还是有一定作用的。

勤学魔法棒

记课堂笔记对学习是很有好处的，它为课后复习提供了材料，还能帮小朋友增强记忆力，并锻炼思维。小朋友们在刚开始记课堂笔记时可能会觉得有困难，手上记不过来，但只要找到正确的方法并坚持下去，必然会大有益处。

心平气和的刘铭传

qīng cháo mò qī　cháo tíng xiǎng tí bá yī gè jiàng lǐng
清朝末期，朝廷想提拔一个将领
zuò mǒu gè dì fāng de zǒng zhǐ huī　dāng shí yī gòng yǒu
做某个地方的总指挥。当时一共有
sān míng hòu xuǎn jiàng lǐng　qí zhōng yī gè shì lǐ hóng
三名候选将领，其中一个是李鸿
zhāng tuī jiàn de liú míng chuán
章推荐的刘铭传。

wèi le cè yàn sān rén de pǐn gé hé xué shí
为了测验三人的品格和学识，
fù zé xuǎn bá guān yuán de zēng guó fān
负责选拔官员的曾国藩
jiāng tā men yī qǐ yuē dào zì jǐ
将他们一起约到自己
jiā li miàn tán　dàn dào le yuē
家里面谈。但到了约
dìng shí jiān　zēng guó fān què gù
定时间，曾国藩却故

yì bù chūmiàn ràng tā men zài kè tīngděnghòu zì jǐ zé zài àn zhōngguānchá
意不出面，让他们在客厅等候，自己则在暗中观察

tā men de xíng wéi tài dù
他们的行为态度。

zēngguó fān fǔ zhōng de kè tīngkuānchǎngmíngliàng qiángshang de míngrén zì
曾国藩府中的客厅宽敞明亮，墙上的名人字

huàgèngzēngtiān le jǐ fēn rú yǎ de yì qù gāng kāi shǐ sān rén dōu shí fēn
画更增添了几分儒雅的意趣。刚开始，三人都十分

gōngjìng de zuò zài kè tīng li děngzhe zēngguó fān dànmànmàn de chú le liú
恭敬地坐在客厅里等着曾国藩。但慢慢地，除了刘

míng chuán qí tā liǎngrén dōuděng de bù nài fán le
铭传，其他两人都等得不耐烦了。

tā menxiān shì zài zuò wèi shang bù ān de niǔ lái niǔ
他们先是在座位上不安地扭来扭

qù jiē zhe gān cuì zhàn qi lai zài kè tīng
去，接着干脆站起来，在客厅

li bù tíng de lái huí zǒu dòng ér liú míngchuán
里不停地来回走动。而刘铭传

zé yī zhí ān jìng de zuò zhe bìng tái qǐ tóu
则一直安静地坐着，并抬起头

lai xīn shǎngqiángshang de zì huà
来，欣赏墙上的字画。

yī zhí zài àn zhōngguānchá de zēngguó fān kàn
一直在暗中观察的曾国藩看

dào sān rén de biǎoxiàn xīn zhōng yǐ yǒu le jué dìng
到三人的表现，心中已有了决定。

zhè shí tā kàn dào nà liǎng gè rén shí zài děng bu xià qù le
这时，他看到那两个人实在等不下去了，

已开始抱怨起来，这才走了出来，对三个人说：“今天，我就提一个问题，是关于我家客厅墙上的字画的，你们谁能回答得出来，谁就胜出。”

那两人一听就傻眼了，他们光顾着着急了，哪还顾得上留意墙上的字画呀。结果，只有刘铭传答出了这个问题。曾国藩对刘铭传十分满意，马上决定重用这个年轻人。

刘铭传后来一直做到台湾巡抚，负责修建了台湾第一条铁路，为建设台湾做出了很大的贡献。

勤学魔法棒

没有耐性、容易急躁的人，听课时坐不住，做题时毛躁粗心，做事时鲁莽冲动，缺乏坚毅持久的精神，自然很难把事情做好。要想在学习或其他方面有所成就，就要培养自己的耐心和毅力。

小石头真的“笨”吗

shàng kè shí xiǎo shí tou yī zhí zài rèn zhēn de jì bǐ jì jī hū lǎo
上课时，小石头一直在认真地记笔记，几乎老
shī shuō de měi yī jù huà xiě zài hēi bǎn shang de měi yī gè zì tā dōu huì
师说的每一句话，写在黑板上的每一个字，他都会
xiě zài zì jǐ de kè táng bǐ jì shang suǒ yǐ shàng kè shí tā zǒng shì shí fēn
写在自己的课堂笔记上。所以上课时，他总是十分
máng lù shèn zhì lián jǔ shǒu huí dá wèn tí de shí jiān dōu méi yǒu ér zài kè
忙碌，甚至连举手回答问题的时间都没有。而在课
hòu tā xué xí yě hěn kè kǔ dàn
后，他学习也很刻苦。但
tā de xué xí chéng jì bìng bù suàn tài
他的学习成绩并不算太
hǎo zài bān li zhǐ néng suàn shì zhōng
好，在班里只能算是中
děng xiǎo shí tou fēi cháng jǔ sàng huái
等。小石头非常沮丧，怀
yí zì jǐ shì bu shì tài bèn le shàng
疑自己是不是太笨了，上

kè shí kāi shǐ jīng cháng zǒu shén
课时开始经常走神。

lǎo shī fā xiàn le xiǎo shí tou de biàn huà zài yī cì xià kè hòu wèn
老师发现了小石头的变化，在一次下课后，问
tā wǒ fā xiàn nǐ zuì jìn shàng kè lǎo zǒu shén xué xí chéng jì yě yǒu suǒ
他：“我发现你最近上课老走神，学习成绩也有所
xià jiàng néng gào su lǎo shī zhè shì wèi shén me ma
下降，能告诉老师这是为什么吗？”

xiǎo shí tou shuō lǎo shī qí shí wǒ yǐ qián shàng kè tīng jiǎng fēi cháng
小石头说：“老师，其实我以前上课听讲非常
zhuān xīn xué xí yě hěn yòng gōng dàn wǒ de xué xí chéng jì què bǐ hěn duō
专心，学习也很用功，但我的学习成绩却比很多
rén yào chà wǒ jué de shì wǒ tài bèn le zài zěn me nǔ lì yě shì méi yòng de
人要差。我觉得是我太笨了，再怎么努力也是没用的。”

dàn wǒ bù zhè me rèn wéi lǎo shī xiào le xiǎo shí tou néng bǎ
“但我不这么认为，”老师笑了，“小石头，能把
nǐ de kè táng bǐ jì gěi wǒ kàn kan ma
你的课堂笔记给我看看吗？”

hǎo ya wǒ jì de kě zǐ xì le xiǎo shí tóu fēi kuài de pǎo qu
“好呀，我记得可仔细了。”小石头飞快地跑去，
bǎ zì jǐ de bǐ jì ná gěi le lǎo shī
把自己的笔记拿给了老师。

lǎo shī dǎ kāi tā de bǐ jì zhǐ zhe shàng miàn mì mì má má de zì
老师打开他的笔记，指着上面密密麻麻的字，
wèn nǐ néng gào su wǒ zhè shàng miàn nǎ xiē shì zhòng diǎn shì lǎo shī yāo qiú
问：“你能告诉我这上面哪些是重点，是老师要求
bì xū yào zhǎng wò de ma
必须要掌握的吗？”

zhòngdiǎn xiǎo shí tou wéi nán de shuō wǒ bù zhī dào shàng kè
“重点？”小石头为难地说，“我不知道。上课

shí wǒ zhǐ shì hěn yòng xīn de bǎ lǎo shī jiǎng de suǒ yǒu nèi róng dōu jì xia le
时，我只是很用心地把老师讲的所有内容都记下了，

gēn běn méi shí jiān kǎo lǜ nǎ xiē shì zhòng diǎn
根本没时间考虑哪些是重点。”

zhè jiù shì nǐ de wèn tí suǒ zài nǐ suī rán tīng jiǎng hěn zhuān xīn dàn
“这就是你的问题所在！你虽然听讲很专心，但

jiù xiàng yī tái lù yīn jī yī yàng zhǐ shì jì lù xia le suǒ yǒu de nèi róng què
就像一台录音机一样，只是记录下了所有的内容，却

méi yǒu sī kǎo gèng méi zhǎo chu zhè jié kè lǎo shī
没有思考，更没找出这节课老师

jiǎng de zhòng diǎn shì shén me zhè yàng
讲的重点是什么。这样，

dǎo zhì nǐ zài fù xí shí yě zhǎo bu
导致你在复习时，也找不

chū cè zhòng diǎn hú zi méi mao
出侧重点，胡子眉毛

yī bǎ zhuā yòng de
一把抓，用的

shí jiān hěn duō
时间很多，

xué xí xiào lǜ què
学习效率却

hěn dī zhè yàng
很低。这样

de tīng kè shì shī bài de
的听课是失败的。

suǒ yǐ nǐ yǐ hòu shàng kè shí bù yào máng yú jì bǐ jì yào chōng fèn lì
所以，你以后上课时，不要忙于记笔记，要充分利
yòng shí jiān qù sī kǎo fēn biàn chu lǎo shī jiǎng de nǎ xiē shì zhòng diǎn hái yào
用时间去思考，分辨出老师讲的哪些是重点，还要
sī kǎo tā men yǔ qí tā zhī shi zhī jiān de lián xì zhè cái shì chéng gōng de tīng kè
思考它们与其他知识之间的联系，这才是成功的听课。”

lǎo shī wǒ míng bai le xiǎo shí tou gāo xìng de shuō yǐ hòu
“老师，我明白了！”小石头高兴地说，“以后
wǒ huì zhù yì de
我会注意的。”

cóng cǐ xiǎo shí tou shàng kè shí bù zài máng mù de jì bǐ jì ér
从此，小石头上课时，不再盲目地记笔记，而
shì jiāng gèng duō de jīng lì fàng zài sī kǎo shang zhè zhǒng jì bǐ jì zhù zhòng sī
是将更多的精力放在思考上。这种记笔记注重思
kǎo de tīng kè fāng fǎ yǒu xiào de tí gāo le xiǎo shí tou de xué xí xiào lǜ
考的听课方法，有效地提高了小石头的学习效率。

勤学魔法棒

记课堂笔记很重要，但不能一味死记笔记，因为用心听讲和思考更重要。为了更快地记课堂笔记，给听讲和思考留足时间，小朋友可以在课本或笔记本上画标记，采用一些自己明白的简单符号，课后再补充、整理。

小小“万事通”

zài dà jiā yǎn zhōng lǐ qiáng nián jì suī rán bù dà què zhī dào hěn duō
在大家眼中，李强年纪虽然不大，却知道很多
zhī shi měi dāng tā hé xiǎo huǒ bàn men zài yī qǐ tā zǒng shì tiān nán dì běi
知识。每当他和小伙伴们在一起，他总是天南地北、
tāo tāo bù jué de shuō zhe xiǎo huǒ bàn men dōu tīng de jīn jīn yǒu wèi bù shí tí
滔滔不绝地说着。小伙伴们都听得津津有味，不时提
chu jǐ gè wèn tí tā dōu néng shuō de tóu tóu shì dào shí jiān jiǔ le huǒ
出几个问题，他都能说得头头是道。时间久了，伙
bàn men jiù sòng gěi tā yī gè wàn shì tōng de chuò hào
伴们就送给他一个“万事通”的绰号。

lǐ qiáng wèi shén me zhī dào nà me duō zhī shi ne zhè yǔ tā de yī gè
李强为什么知道那么多知识呢？这与他的一个
xí guàn yǒu guān tā zǒng shì suí shēn dài zhe yī xiē xiǎo kǎ piàn měi dāng chū qu
习惯有关。他总是随身带着一些小卡片，每当出去
wán liǎng gè líng huó de dà yǎn jing zǒng shì dī liū liū de luàn zhuàn xún zhǎo zhe
玩，两个灵活的大眼睛总是滴溜溜地乱转，寻找着
tā gǎn xìng qù de shì wù liǎng gè xiǎo ěr duo zǒng shì zhī leng zhe qīng tīng zhe tā
他感兴趣的事物；两个小耳朵总是支棱着，倾听着他

jué de yǒu qù de shì qing yī dàn yù dào yǒu qù de shì wù tā jiù huì mǎ
觉得有趣的事情。一旦遇到有趣的事物，他就会马
shàng tāo chu yī zhāng kǎ piàn bǎ tā men jì xia lai
上掏出一张卡片，把它们记下来。

lǐ qiáng zuì xǐ huan gēn bà ba yī qǐ chū qu wán yīn wèi bà ba zǒng zài
李强最喜欢跟爸爸一起出去玩，因为爸爸总在
bù tíng de gěi tā jiǎng gè zhǒng dōng xi kàn dào shén me jiǎng
不停地给他讲各种东西，看到什么讲
shén me lì rú gǒu zài xià tiān wèi shén me ài shēn zhe
什么，例如：狗在夏天为什么爱伸着
shé tou máo máo chóng shì zěn me biàn chéng hú dié de māo
舌头？毛毛虫是怎么变成蝴蝶的？猫
hé gǒu wèi shén me zǒng ài dǎ jià lǐ qiáng zǒng shì tīng de xìng
和狗为什么总爱打架？……李强总是听得兴
zhì bó bó ná chu xiǎo kǎ piàn bù tíng de xiě zhe pèng dào bù huì
致勃勃，拿出小卡片不停地写着。碰到不会
xiě de zì jiù yòng jiǎn dān de tú xíng dài tì huò zhě wèn bà ba
写的字，就用简单的图形代替，或者问爸爸。

lǐ qiáng zuì xǐ huan qù
李强最喜欢去
de dì fang shì shū diàn hé tú
的地方是书店和图

书馆，在那里他总是贪婪地翻看着各种图书，并不时在卡片上记录着，总是一待就是半天。每次从书店或图书馆出来，写满字的卡片总会多出来厚厚一摞。

过一段时间，李强就会把自己记录的小卡片整理一下，关于逸闻趣事的放在一起，关于科普知识的放在一起，关于优美词句的放在一起……他还会按照字母顺序排出目录，如果想找哪一种卡片，很快就能找出。

就这样，李强知道的知识就越来越多了。

勤学魔法棒

小朋友，并不是只有在学校或坐在书桌前才能学习的，生活本身就是个大课堂，只要你愿意，随时随地都可以学习。小朋友如果能像李强那样，养成随身携带小卡片、随时记录的习惯，必定会比其他人获得更多的信息和知识。

学习是快乐的游戏

dà xióng zuì jìn wèi xué xí de shì kǔ nǎo bù yǐ
大雄最近为学习的事苦恼不已，
shí cháng chóu méi kǔ liǎn de shuō xué xí zhēn lèi zhēn
时常愁眉苦脸地说:“学习真累！真
kǔ ya yǒu yī tiān duō lā mèng shuō
苦呀！”有一天，多啦A梦说
yào dài dà xióng qù gǔ dài de xī fāng kàn kan
要带大雄去古代的西方，看看
nà li de rén shì zěn me xué xí de
那里的人是怎么学习的。

tōng guò shí kōng mén tā men jìn
通过时空门，他们进
rù le gǔ dài xī fāng de yī gè guì zú
入了古代西方的一个贵族
jiā tíng dà xióng fā xiàn lǐ miàn de rén
家庭。大雄发现里面的人，
chú le pú rén jū rán dōu zài xué xí yǒu de
除了仆人，居然都在学习，有的

zài xué xí yǔ yán jī li guā lā de dà xióng yě tīng bu dǒng yǒu de zài
在学习语言，叽里呱啦的，大雄也听不懂；有的在
liàn xí gāng qín xiǎo tí qín děng yuè qì yǒu de zài lǎng sòng shī gē hái yǒu
练习钢琴、小提琴等乐器；有的在朗诵诗歌；还有
de zài xué xí jiàn shù měi gè rén de liǎn shang dōu guà zhe xìng fú hé mǎn zú
的在学习剑术……每个人的脸上都挂着幸福和满足
de biǎo qíng
的表情。

zài yī gè fáng jiān li yǒu sì wǔ gè rén zài liáo tiān tā men liáo dào le
在一个房间里，有四五个人在聊天，他们聊到了
tiān wén dì lǐ zhé xué shī gē gè zhǒng shè huì wèn tí děng dà xióng
天文、地理、哲学、诗歌、各种社会问题等。大雄
tīng de wú liáo zhī jí bù jīn hūn hūn yù shuì
听得无聊之极，不禁昏昏欲睡。

děng yī jiào xǐng lai tā fā xiàn liáo tiān de rén yǐ jīng sàn le wū li
等一觉醒来，他发现聊天的人已经散了，屋里
zhǐ shèng xia yī gè rén ér nà rén jū rán yòu ná qi yī běn shū kàn le qǐ lái
只剩下一个人，而那人居然又拿起一本书看了起来。

dà xióng rěn bu zhù zài nà rén miàn qián xiàn shēn wèn dào nǐ zěn me hái
大雄忍不住在那人面前现身，问道：“你怎么还
bù shuì kuài dào bàn yè le
不睡，快到半夜了？”

nà rén xià le yī tiào máng wèn dà xióng shì cóng nǎ li lái de dà xióng
那人吓了一跳，忙问大雄是从哪里来的。大雄
lüè wēi jiě shì le yī xià yòu wèn nǐ men zěn me zhè me ài xué xí nán
略微解释了一下，又问：“你们怎么这么爱学习？难
dào bù jué de lèi ma
道不觉得累吗？”

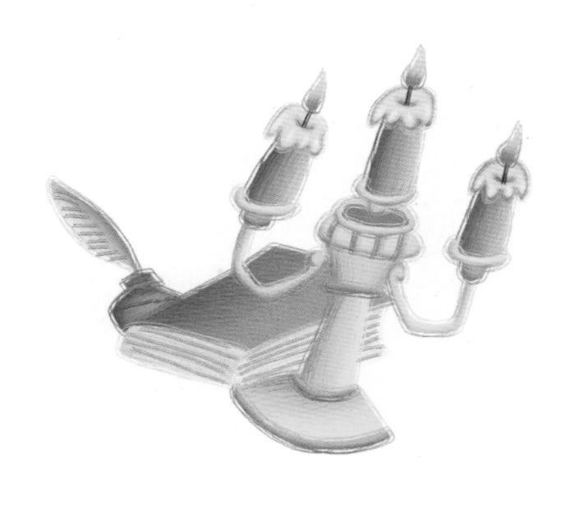

“当然不累，因为学习是一项非常有趣的游戏啊！在这里，只有贵族和有钱人才能参与学习，学习是非常自豪的一件事。作为贵族，我们虽然能随心所欲地做任何事情，但只有学习才是最大的乐趣。”

从那人的话中，大雄了解到：在古代的西方，贵族们几乎都懂拉丁语和希腊语，酷爱诗歌朗诵，还会弹奏乐器。而且在那个年代，决斗是常有的事，所以剑术也是他们的必修课。

dāng shí liáo tiān shì zuì xī yǐn rén de huódòng rén men jīng cháng wàng le
当时，聊天是最吸引人的活动，人们经常忘了
shí jiān jiāo tán dào bàn yè wèi le gèng hǎo de liáo tiān píng shí jiù yào xué xí
时间，交谈到半夜。为了更好地聊天，平时就要学习
hěn duō zhī shi yuè shì duō cái duō yì de rén jiù yuè shòu huān yíng
很多知识，越是多才多艺的人就越受欢迎。

zuì hòu nà rén shuō xué xí shì yī zhǒng yú lè huó dòng kě yǐ gěi
最后，那人说：“学习是一种娱乐活动，可以给
wǒ men dài lai wú qióng de lè qù
我们带来无穷的乐趣！”

dà xióng huí lai hòu bù zài xiàng yǐ qián nà yàng bǎ xué xí dàng zuò yī
大雄回来后，不再像以前那样，把学习当做一
zhǒng fù dān ér shì yǐ yī zhǒng jī jí de xīn tài qù xué xí bǎ xué xí dàng
种负担，而是以一种积极的心态去学习，把学习当
zuò yī zhǒng yóu xì kàn dài zhè yàng xué xí qi lai guǒ rán shì jì qīng sōng yòu
做一种游戏看待。这样学习起来，果然是既轻松又
yǒu xiào dà xióng zài yě bù wèi xué xí kǔ nǎo le
有效，大雄再也不为学习苦恼了。

勤学魔法棒

没想到吧？古代的西方只有贵族们才享有学习的权利，而贵族们竟然把学习当成是最有趣、最快乐的游戏。其实，换个角度想一想，学习本身也可以变得很有趣。不是吗？

王戎识李

wángróng shì wǒ guó gǔ dài zhùmíng de
王戎是我国古代著名的
xué zhě tā xiǎo shí hou biàn hěn shàn yú dòng nǎo
学者，他小时候便很善于动脑
jīn qī suì shí yǒu yī tiān tā hé xiǎo huǒ
筋。七岁时，有一天，他和小伙
bàn men yī qǐ wán shuǎ zài lù biān yù dào le yī kē
伴们一起玩耍，在路边遇到了一棵
lǐ zi shù shàngmiàn jiē mǎn le lǐ zi
李子树，上面结满了李子。

hǎo duō lǐ zi wǒ men
“好多李子，我们
kuài qù zhāi ba hěn hǎo chī
快去摘吧！很好吃
de yàng zi xiǎo huǒ bàn
的样子！”小伙伴
men yī jiàn dōu zhēng
们一见，都争

xiān kǒng hòu de pá dào shù shang qù zhāi lǐ zi chī zhǐ yǒu wáng róng zhàn zhe méi dòng
先恐后地爬到树上去摘李子吃，只有王戎站着没动。

xiǎo huǒ bàn men zhāi xia lǐ zi yī cháng yā pēi pēi yī
小伙伴们摘下李子一尝，“呀！呸！呸……”一
gè gè quán dōu tǔ le chū lái nà lǐ zi jìng rán shì kǔ de
个个全都吐了出来——那李子竟然是苦的！

nǐ méi yǒu zhāi lǐ zi shì yīn wèi nǐ zǎo jiù zhī dào tā men shì kǔ de
“你没有摘李子，是因为你早就知道它们是苦的
ba nán dào nǐ zhī qián cháng guo xiǎo huǒ bàn men wèn zhàn zài yī biān méi dòng
吧？难道你之前尝过？”小伙伴们问站在一边没动
de wáng róng
的王戎。

wǒ méi yǒu cháng guo zhǐ shì jué de zhè kē lǐ shù zhǎng zài lù biān
“我没有尝过。只是觉得，这棵李树长在路边，
měi tiān lái lái wǎng wǎng nà me duō rén rú guǒ lǐ zi shì tián de zǎo jiù bèi
每天来来往往那么多人，如果李子是甜的，早就被
zhāi guāng le ér xiàn zài què hái yǒu zhè me duō lǐ zi méi bèi zhāi zǒu yī dìng
摘光了！而现在却还有这么多李子没被摘走，一定
shì kǔ de
是苦的。”

xiǎo huǒ bàn men tīng hòu huǎng rán dà wù
小伙伴们听后，恍然大悟。

勤学魔法棒

小朋友，在学习中，要像王戎那样，多动脑筋，勤思考，才会有收获，要是像那些摘李子吃的人一样，学习时冒冒失失的，不肯动脑筋钻研，就可能也跟着“吃苦头”了。

王献之练字

wǒ guó jìn dài yǒu wèi dà shū fǎ jiā wáng xī zhī tā de dì qī gè ér
我国晋代有位大书法家王羲之，他的第七个儿
zi jiào wángxiàn zhī wángxiàn zhī cóngxiǎo jiù cōngmíng hào xué
子叫王献之。王献之从小就聪明好学，
shàncháng cǎo shū hé lì shū yě hěn shàncháng huì huà
擅长草书和隶书，也很擅长绘画。

wángxiàn zhī qī bā suì de shí hou kāi shǐ gēn
王献之七八岁的时候开始跟
zhe fù qīn xué xí shū fǎ yǒu yī cì fù qīn wáng
着父亲学习书法。有一次，父亲王
xī zhī kàn dào ér zi zhèng zài liàn zì biàn
羲之看到儿子正在练字，便
xiǎng shì shi tā zhuān xīn bu zhuān
想试试他专心不专
xīn yú shì qiāo qiāo zǒu
心，于是悄悄走
dào tā shēnhòu tū rán
到他身后，突然

shēnshǒu qù chōu wángxiàn zhī shǒuzhōng de máo bǐ dànwángxiàn zhī liàn zì fēi cháng
伸手去抽王献之手中的毛笔。但王献之练字非常

zhuān xīn wò bǐ hěn láo wáng xī zhī méinéngchōuzǒu wáng xī zhī yú shì fēi
专心，握笔很牢，王羲之没能抽走。王羲之于是非

chánggāo xìng de shuō zhè ge ér zi jiāng lái yī dìng huì yǒu chū xi de xiǎo
常高兴地说："这个儿子将来一定会有出息的！"小

xiàn zhī tīng le hòu fēi chánggāo xìng
献之听了后非常高兴。

hái yǒu yī cì yī wèi péngyou lái kànwàngwáng xī zhī wáng xī zhī biàn
还有一次，一位朋友来看望王羲之。王羲之便

ràng ér zi xiànchǎng zài shàn zi shang xiě jǐ gè zì wángxiàn zhī ná qi bǐ jiù
让儿子现场在扇子上写几个字。王献之拿起笔就

xiě bù yī huì er shàn zi shangbiàn chū xiàn le jǐ pái piàoliang de xiǎo zì
写。不一会儿，扇子上便出现了几排漂亮的小字。

zài chǎng de rén wú bù jiāo kǒu chēngzàn zhèng dāng wángxiàn zhī dé yì zhī shí
在场的人无不交口称赞。正当王献之得意之时，

yī dī mò zhī tū rán diàodào le shàn zi shang nòngzāng le gāng
一滴墨汁突然掉到了扇子上，弄脏了刚

cái xiě de zì wángxiàn zhī líng jī yī dòng
才写的字。王献之灵机一动，

gōu le jǐ bǐ jiāng nà dī mò zhī
勾了几笔，将那滴墨汁

huàchéng yī tóu xiǎo niú zài chǎng
画成一头小牛。在场

de réngèng jiā pèi fú
的人更加佩服。

jiàn jiàn de wángxiàn zhī kāi
渐渐地，王献之开

shǐ dé yì qi lai le yǒu yī cì tā wèn mǔ qīn wǒ shì bu shì zài liàn
始得意起来了。有一次，他问母亲：“我是不是再练

sān nián de zì jiù kě yǐ le mǔ qīn yáo yao tóu wǔ nián ne zǒng kě
三年的字就可以了？”母亲摇摇头。“五年呢？总可

yǐ le ba wángxiàn zhī shuō mǔ qīn yòu yáo yao tóu shuō nǐ shén me
以了吧！”王献之说。母亲又摇摇头，说：“你什么

shí hou mó mò yòng wán shí bā gāng shuǐ nǐ de zì shén me shí hou cái néng yǒu jīn
时候磨墨用完十八缸水，你的字什么时候才能有筋

yǒu gǔ yǒu xuè yǒu ròu cái huì zhàn zhí lì wěn
有骨，有血有肉，才会站直立稳。”

wángxiàn zhī shén me yě méi shuō yòu qín liàn le wǔ nián zì zhè yī tiān
王献之什么也没说，又勤练了五年字。这一天，

tā xiě le jǐ fú zì jǐ rèn wéi zuì hǎo de zì gěi fù qīn kàn fù qīn yī biān
他写了几幅自己认为最好的字给父亲看。父亲一边

kàn yī biān yáo tóu dāng wáng xī zhī kàn dào ér zi xiě de dà zì shí
看，一边摇头。当王羲之看到儿子写的“大”字时，

liǎn shang cái lòu chu yī diǎn mǎn yì de biǎo qíng tā tí qi bǐ zài dà
脸上才露出一点满意的表情。他提起笔，在“大”

zì shang tiān le yī diǎn er biàn chéng le yī gè tài zì
字上添了一点儿，变成了一个“太”字。

wángxiàn zhī bù míng bai fù qīn de xíng wéi shì shén me yì si yòu bǎ nà
王献之不明白父亲的行为是什么意思，又把那

fú zì gěi mǔ qīn kàn mǔ qīn zǐ xì kàn le kàn tàn le kǒu qì shuō hái
幅字给母亲看。母亲仔细看了看，叹了口气说：“孩

zi zhǐ yǒu zhè ge diǎn xiàng nǐ fù qīn xiě de zì
子，只有这个点像你父亲写的字。”

wángxiàn zhī tīng le fēi cháng shī wàng jǔ sàng de shuō zhè yàng xià
王献之听了，非常失望，沮丧地说：“这样下

qu shén me shí hou shì gè tóu er ya
去，什么时候是个头儿呀！”

mǔ qīn gǔ lì tā shuō zhǐ yào kěn xià
母亲鼓励他说：“只要肯下

gōng fu jiù yī dìngnéngxíng yú shì
功夫，就一定能行！”于是

wángxiàn zhī jì xù kǔ liàn shū fǎ děng tā mó mò
王献之继续苦练书法。等他磨墨

yòngwán shí bā gāngshuǐ de shí hou
用完十八缸水的时候，

xiě de zì guǒ rán
写的字果然

yǐ jīng bù bǐ fù
已经不比父

qīn de chà le
亲的差了。

wáng xiàn zhī zuì hòu zài shū fǎ shang yě qǔ dé le jù dà chéng jiù hé fù
王献之最后在书法上也取得了巨大成就，和父

qīn yī qǐ bèi hòu rén bìng chēng wéi èr wáng
亲一起，被后人并称为“二王”。

勤学魔法棒

我们在学习的时候也会遇到类似王献之的情形。一开始，内容比较简单，学得很顺利，老师和父母一表扬，便得意起来了。其实知识有如海洋，我们还有很多需要学习的东西，只有继续谦虚努力，才能取得更大的成就。

我长翅膀了

měi guó rén lái tè xiōng dì yīn wèi fā míng le fēi jī ér wén míng shì jiè
美国人莱特兄弟因为发明了飞机而闻名世界，
dàn zài tā men suǒ chǔ de nián dài què jī hū méi rén xiāng xìn rén lèi zhēn de néng
但在他们所处的年代，却几乎没人相信人类真的能
fēi xiáng
飞翔。

gē ge wēi ěr bó lái tè chū shēng yú nián dì di ào wéi ěr
哥哥威尔伯·莱特出生于1867年，弟弟奥维尔·
lái tè chū shēng yú nián tā men dōu méi shàng guo dà xué wēi ěr bó lián gāo
莱特出生于1871年，他们都没上过大学（威尔伯连高
zhōng bì yè zhèng dōu méi ná dào cóng zhōng xué qǐ jiù kāi shǐ zì xíng móu shēng
中毕业证都没拿到），从中学起就开始自行谋生。

cóng xiǎo lái tè xiōng dì jiù huàn xiǎng zhe néng xiàng niǎo ér yī yàng zài kōng
从小，莱特兄弟就幻想着能像鸟儿一样在空
zhōng zì yóu fēi xiáng nián lái tè xiōng dì zài bào zhǐ shang kàn dào yī
中自由飞翔。1896年，莱特兄弟在报纸上看到一
tiáo xiāo xi dé guó de lǐ lín tǎ ěr zài jià shǐ huá xiáng jī shí shī shì shēn
条消息：德国的李林塔尔在驾驶滑翔机时失事身

wáng zhè gěi dì xiōng liǎ dài lai le hěn dà zhèndòng tā men jué dìng yán jiū kōng
亡。这给弟兄俩带来了很大震动，他们决定研究空
zhōng fēi xíng
中飞行。

cóng cǐ tā men kāi shǐ zài fēi cháng jì mò de huánjìng zhōng kāi zhǎngōng
从此，他们开始在非常寂寞的环境中开展工
zuò cóngshè jì zǔ zhuāng tiáo shì dào shì fēi yī gè huán jié jiē zhe yī
作，从设计、组装、调试到试飞，一个环节接着一
gè huán jié de jìn xíng dāng shí dà duō měi guó rén rèn wéi rén lèi bù néng
个环节地进行。当时，大多美国人认为：人类不能
shàng tiān bǐ kōng qì zhòng de dōng xi zěn me
上天。比空气重的东西怎么
kě néng fēi de qǐ lái zhè jiǎn zhí jiù shì
可能飞得起来？这简直就是
hú sī luànxiǎng tuì yī wàn
胡思乱想！退一万
bù jiù shì néng yě
步，就是能，也

lún bu dào lái tè xiōng dì lái shí xiàn rén men rèn wéi lái tè xiōng dì jiù shì nà
轮不到莱特兄弟来实现。人们认为莱特兄弟就是那

zhǒng zhǐ gù wánshuǎ bù wèi zì jǐ de rén shēng qù móu
种只顾玩耍、不为自己的人生去谋

huà de xiǎoqīngnián
划的小青年。

dàn jié guǒ shì lái tè
但结果是，莱特

xiōng dì zhǐ yòng le nián de shí
兄弟只用了4年的时

jiān jiù chéng gōng de zhì zào chu le rén lèi lì
间，就成功地制造出了人类历

shǐ shang dì yī jià dòng lì fēi jī shí xiàn le rén lèi de fēi
史上第一架动力飞机，实现了人类的飞

xíngmèngxiǎng ér fēi jī zhè zhǒng jiāo tōng gōng jù bèi shì rén jiē shòu yě zhǐ
行梦想。而飞机这种交通工具，被世人接受也只

huā le nián de shí jiān
花了4年的时间。

bù guò zài nà ge shí hou jiù lián lái tè xiōng dì zì jǐ yě xiǎng bu chū
不过在那个时候，就连莱特兄弟自己也想不出

fēi jī néng yǒu shén me yòng tā men néng xiǎng dào de zhǐ shì kě yǐ gěi bù tōng chē
飞机能有什么用，他们能想到的只是可以给不通车

de dì fang sòng yóu jiàn hòu lái tā men yòu xiǎng dào yě xǔ kě yǐ bāng guó jiā
的地方送邮件。后来，他们又想到也许可以帮国家

gǎo zhēn chá dàn shì jiù zài yīng guó zhèng fǔ kāi shǐ guān zhù lái tè xiōng dì de
搞侦察。但是，就在英国政府开始关注莱特兄弟的

yán jiū chéng guǒ shí měi guó lù jūn zǒng bù què kàn dōu bù kàn tā men de zì jiàn
研究成果时，美国陆军总部却看都不看他们的自荐

shū zhí jiē huí le fēng jù jué xìn lái tè xiōng dì
书，直接回了封拒绝信。莱特兄弟

yòu xiě le yī fēng xìn jié guǒ shōu dào le yī fēng gēn
又写了一封信，结果收到了一封跟

shàng cì wán quán yī yàng de dǎ yìn xìn lián biāo diǎn dōu
上次完全一样的打印信，连标点都

méi biàn shì hòu lù jūn bù zhǎng duì cǐ jiě shì shuō
没变。事后，陆军部长对此解释说：

fēi jī shì bù kě xiǎng xiàng de
飞机是不可想象的。

rán ér dào le jīn tiān fēi jī yǐ zài gè gè fāng
然而到了今天，飞机已在各个方

miàn fā huī le yuè lái yuè zhòng yào de zuò yòng
面发挥了越来越重要的作用。

勤学魔法棒

莱特兄弟真是帅呆了！敢想敢做才会成功。你现在敢想象自己将来成为一个世界顶级的大科学家吗？什么，太难？不要怕，也不要迷信那些专家，从身边的每一道难题做起，先学好了知识，打下坚实的基础，以后肯定有希望当上大科学家！

了。他按照自己的图纸，指挥村民挖沟渠。没想到，沟渠刚刚挖通，便突降大雨，洪水从四面八方涌来，然后顺着沟渠灌进村庄，全村人几乎都被淹死了。

面对再一次的彻底失败，书生非常难过、灰心，他不明白自己为什么学什么都不成。从此，他变得消沉了，整天闷闷不乐的，还经常自言自语："难道是古人欺骗了我？"没多久，他就在极度苦闷中生病而死。

勤学魔法棒

小朋友，你觉得是古人欺骗了书生吗？当然不是，是因为他不管学什么都是浅尝辄止，只学到一点皮毛就忙着去卖弄，当然避免不了失败。小朋友，你在学习中可不能这样啊，一定要深入学习、真正地弄懂了才行。

一箱磨穿的旧砚台

gǔ shí hou yǒu yī gè xiǎng xué shū fǎ de nián qīng rén bài le yī wèi yǒu
古时候，有一个想学书法的年青人拜了一位有
míng de shū fǎ jiā wéi shī nà wèi shū fǎ jiā hěn xǐ huan tā shí fēn jìn xīn
名的书法家为师。那位书法家很喜欢他，十分尽心
de jiāo tā shū fǎ
地教他书法。

nián qīng rén gēn suí shū fǎ jiā xué le jǐ nián zhī hòu jué de zì jǐ yǐ jīng
年青人跟随书法家学了几年之后，觉得自己已经
zhǎng wò le shū fǎ zhè mén yì shù méi yǒu bì yào
掌握了书法这门艺术，没有必要
zài dāi zài lǎo shī zhè li làng fèi shí jiān le
再待在老师这里浪费时间了。
yú shì nián qīng rén duì shū fǎ jiā shuō lǎo
于是，年青人对书法家说：“老
shī wǒ rèn wéi wǒ de shū fǎ yǐ jīng xué de
师，我认为我的书法已经学得
hěn hǎo le suǒ yǐ wǒ xiǎng gào cí huí jiā
很好了，所以我想告辞回家。”